ACTES SUD - PAPIERS
Fondateur : Christian Dupeyron
Editorial : Claire David

Droits de représentation :
Suzanne Sarquier, Agence Drama
24, rue Feydeau – 75002 Paris

Cette collection est éditée avec le soutien de la Société
des Auteurs et Compositeurs Dramatiques (SACD)

ISSN 0298-0592   ISBN 978-2-8694-3397-7

LE VISITEUR

Eric-Emmanuel Schmitt

LE VISITEUR
d'Eric-Emmanuel Schmitt
a été repris le 24 février 1998 et le 10 septembre 1998
au Théâtre Marigny, salle Popesco à Paris

Mise en scène : Daniel Roussel
Assistante : Betty Blanche
Décor et costumes : Carlo Tommasi
Assistante : Sophie Perez
Lumière : Franck Thevenon
Relation Presse : Nicole Herbaut de Lamothe
Assistante : Christine Delterme

Distribution

Rufus : Freud
Tom Novembre : Le Visiteur
Markita Boies : Anna Freud
Jérôme Frey : L'Officier nazi

Production : Théâtre Marigny, Jean-Marc Ghanassia,
François de la Baume et François Chantenay.

La pièce a été créée le 23 septembre 1993 au Petit Théâtre de Paris,
dans une mise en scène de Gérard Vergez, avec Maurice Garrel,
Thierry Fortineau, Josiane Stoleru et Joël Barbouth.

PERSONNAGES
(par ordre d'entrée en scène)

Sigmund Freud
Anna Freud, sa fille
Le Nazi
L'Inconnu

L'action se passe en un seul acte, en temps réel, le soir du 22 avril 1938, c'est-à-dire entre l'invasion de l'Autriche par les troupes hitlériennes (11 mars) et le départ de Freud pour Paris (4 juin).

*La scène représente le cabinet du docteur Freud, au 19 Berggasse,
à Vienne. C'est un salon austère aux murs lambrissés de bois
sombre, aux bronzes rutilants, aux lourds doubles rideaux. Deux
meubles organisent la pièce : le divan et le bureau.*

*Cependant, délaissant cet extrême réalisme, le décor s'évanouit
à son sommet ; au-delà des rayons de la bibliothèque, il s'élève
en un magnifique ciel étoilé soutenu, de-ci de-là, par les ombres
des principaux bâtiments de la ville de Vienne. C'est un cabinet
de savant ouvert sur l'infini.*

——— scène 1 ———

Freud, Anna.

*Freud range lentement ses livres dans la bibliothèque, livres qui ont
été jetés à bas par on ne sait quelle violence. Il est âgé mais le regard
est vif et l'œil noir. Chez cet être énergique, la vieillesse semble une
erreur. Tout au long de la nuit, il toussera discrètement et laissera
échapper quelques grimaces : sa gorge, dévorée par le cancer, le fait
déjà souffrir.*

*Anna paraît plus épuisée que son père. Assise sur le sofa, elle
tient un volume entre ses mains et bâille en croyant lire. C'est une
femme sévère, un peu bas-bleu, un des premiers prototypes de
femmes intellectuelles du début du siècle, avec tout ce que cela
comporte de légèrement ridicule ; mais elle échappe à sa caricature
par ses regards d'enfant et, peint sur son visage, son profond, son
très grand amour pour son père.*

FREUD. Va te coucher, Anna.

Anna secoue faiblement la tête pour dire non.

Je suis sûr que tu as sommeil.

Anna nie en réprimant un bâillement.
On entend alors, un peu plus fort qu'avant, montant de la fenêtre
ouverte, les chants d'un groupe de nazis qui passe. Freud s'éloigne
instinctivement de la fenêtre.

(Pour lui-même.) Si, au moins, ils chantaient mal…

Anna vient de piquer de la tête sur son livre. Tendrement, Freud,
passant par-derrière le sofa, l'entoure de ses bras.

Ma petite fille doit aller dormir.

ANNA *(se réveillant, étonnée).* Où étais-je ?

FREUD. Je ne sais pas… Dans un rêve…

ANNA *(toujours étonnée).* Où va-t-on lorsque l'on dort ? Lorsque
tout s'éteint, lorsqu'on ne rêve même pas ? Où est-ce qu'on
déambule ? *(Doucement.)* Dis, papa, si nous allions nous
réveiller de tout cela, de Vienne, de ton bureau, de ces murs, et
d'eux… et si nous apprenions que tout cela, aussi, n'était qu'un
songe … où aurions-nous vécu ?

FREUD. Tu es restée une petite fille. Les enfants sont spontanément philosophes : ils posent des questions.

ANNA. Et les adultes ?

FREUD. Les adultes sont spontanément idiots : ils répondent.

Anna bâille de nouveau.

Allons, va te coucher. *(Insistant.)* Tu es grande maintenant.

ANNA. C'est toi qui ne l'es plus.

FREUD. Quoi ?

ANNA *(avec un sourire).* Grand.

FREUD *(répondant à son sourire).* Je suis vieux, c'est vrai.

ANNA *(doucement).* Et malade.

FREUD *(en écho).* Et malade. *(Comme pour lui-même.)* C'est si
peu réel… l'âge, c'est abstrait, comme les chiffres… Cinquante,
soixante, quatre-vingt-deux ? Qu'est-ce que cela veut dire ? Ça n'a
pas de chair, ça n'a pas de sens, les nombres, ça parle de quelqu'un d'autre. Au fond de soi, on ne sait jamais l'arithmétique.

ANNA. Oublie les chiffres ; eux ne t'oublieront pas.

FREUD. On ne change pas, Anna, c'est le monde qui change, les hommes qui se pressent, les bouches qui chuchotent, et les hivers plus froids, et les étés plus lourds, les marches plus hautes, les livres écrits plus petit, les soupes qui manquent de sucre, l'amour qui perd son goût, ... c'est une conspiration des autres car au fond de soi on ne change pas. *(Bouffonnant brusquement.)* Vois-tu, le drame de la vieillesse, Anna, c'est qu'elle ne frappe que des gens jeunes ! *(Anna bâille.)* Va te coucher.

ANNA *(agacée par les chants).* Comment font-ils pour être si nombreux à crier dans les rues ?

FREUD. Ce ne sont pas des Viennois. Les Allemands amènent des partisans par avions entiers et ils les lâchent sur les trottoirs. *(Obstiné.)* Il n'y a pas de nazis viennois.

Il tousse assez durement. Anna fronce les sourcils.

ANNA. Non, il n'y a pas de nazis viennois... Mais j'ai vu ici des pillages et des humiliations bien pires qu'en Allemagne. J'ai vu les SA traîner un vieux couple d'ouvriers dans la rue pour les forcer à effacer sur les trottoirs d'anciennes inscriptions en faveur de Schuschnigg. La foule hurlait : "Du travail pour les juifs, enfin du travail pour les juifs !" "Remercions le Führer qui donne leur vrai travail aux juifs !" Plus loin, on battait un épicier devant sa femme et ses enfants... Plus loin les corps des juifs qui s'étaient jetés par la fenêtre en entendant les SA monter leurs escaliers... Non, père, tu as raison, il n'y a pas de nazis viennois... il faudrait inventer un nouveau terme pour l'immonde !

Freud est pris d'une quinte de toux encore plus douloureuse.

Signe le papier, papa, que nous puissions partir !

FREUD. Ce papier est infâme.

ANNA. Grâce à tes appuis de l'étranger, nous avons la chance de pouvoir quitter Vienne, et officiellement. Dans quelques semaines, il faudra fuir. N'attends pas que cela devienne impossible.

FREUD. Mais Anna, la solidarité ?

ANNA. Solidarité avec les nazis ?

FREUD. Avec nos frères, nos frères d'ici, nos frères qu'on vole, qu'on humilie, qu'on réduit à néant. C'est un privilège odieux que de pouvoir partir.

ANNA. Tu préfères être un juif mort ou bien un juif vivant ? S'il te plaît, papa, signe.

FREUD. Je verrai. Va te coucher.

Anna secoue négativement la tête.

Tête de bois.

ANNA. Tête de Freud.

FREUD *(regardant par la fenêtre et changeant de ton, rompant l'espèce de badinage tendre qui liait le père à sa fille).* Tu me traites comme un condamné à mort.

ANNA *(très vite).* Papa…

FREUD. Et tu as raison : nous sommes tous des condamnés à mort et moi je pars avec le prochain peloton. *(Il se retourne vers elle et s'approche.)* Ce ne sont pas les nazis ou le destin de l'Autriche qui te font rester ici chaque soir ; tu t'attaches à moi comme si j'allais m'évanouir d'une minute à l'autre, tu tressailles dès que je tousse, déjà tu me veilles. *(Il l'embrasse sur le front.)* Mais… ne sois pas trop douce, ma fille. Ne vous montrez pas trop tendres, ni ta mère, ni toi, sinon, je… je vais… m'incruster… ne me rends pas le départ trop difficile.

Anna a compris et se lève.

ANNA. Bonsoir papa. Je crois que j'ai sommeil.

Elle s'approche et tend son front.
Freud va pour l'embrasser.

——————— scène 2 ———————

L'officier nazi, Freud, Anna.
On entend frapper durement à la porte. Bruits de bottes derrière le battant.
Puis, sans attendre de réponse, le Nazi fait irruption.

LE NAZI. Gestapo ! *(Parlant derrière lui à ses hommes.)* Restez là, vous autres.

On entend des bruits de bottes dans le couloir.
Les yeux de Freud luisent de colère.
Le Nazi fait le tour du propriétaire en prenant son temps.

Une petite visite amicale, docteur Freud... *(Regardant la bibliothèque.)* Je vois que nous avons commencé à ranger nos livres. *(Se voulant fin et ironique.)* Désolé de les avoir tant bousculés la dernière fois...

Il en fait tomber d'autres.

FREUD *(sur le même ton)*. Je vous en prie : c'était un plaisir d'avoir à traiter avec de véritables érudits.

Le Nazi laisse traîner son regard méfiant sur les rayons.

ANNA. Qu'est-ce que vous en avez fait, cette fois-ci ? Vous les avez brûlés, comme toutes les œuvres de mon père ?

FREUD. Ne sous-estime pas le progrès, Anna ! Au Moyen Age, ils m'auraient brûlé ; à présent, ils se contentent de brûler mes livres.

LE NAZI *(entre ses dents)*. Il n'est jamais trop tard pour bien faire.

Anna a, d'instinct, un geste protecteur pour son père.

FREUD *(toujours ironique, ne se laissant pas impressionner)*. Avez-vous trouvé ce que vous cherchiez ? Des documents anti-nazis, n'est-ce pas ? Ils ne se cachaient pas dans les volumes que vous avez emportés ? *(Le Nazi a un geste d'impatience. Freud prend la mine de celui qui comprend.)* Je vous dois une confidence : effectivement, vous n'auriez su les dénicher là... car... *(Il baisse la voix.)* ... les documents antinazis les plus importants sont conservés... si, si... *(Intéressé, le Nazi s'approche.)* ... je vais vous le dire... *(Prenant son temps.)* ... ils sont conservés... *(Freud se désigne.)* ... ici !

ANNA *(se désignant aussi)*. Et là !

Le Nazi les toise de façon menaçante.

LE NAZI. Humour juif, je présume ?

FREUD (*poursuivant sa provocation*). C'est vrai : je ne savais plus que j'étais juif, ce sont les nazis qui me l'ont rappelé. Ils ont bien fait ; c'est une aubaine de se retrouver juif devant des nazis. D'ailleurs, si je ne l'avais pas déjà été, j'aurais voulu le devenir. Par colère ! Méfiez-vous : vous allez déclencher des vocations.

Le Nazi fait alors tomber sciemment quelque livres de plus. Puis il saisit une statuette antique. Freud a un geste d'inquiétude.

LE NAZI. Dites-moi, ça a de la valeur, ces vieux trucs ?

ANNA. Attention !

FREUD (*faisant taire sa fille*). Non, aucune valeur. Héritage. Je pensais les jeter… vous en voulez une ?

LE NAZI (*la remettant à sa place*). Ah non, c'est trop moche.

Anna et Freud soupirent de soulagement.

ANNA (*a du mal à retenir sa colère*). Avez-vous des ordres ? Qui vous autorise à venir nous piller tous les jours ?

LE NAZI. Quelqu'un m'a parlé ?

ANNA. Vous m'avez parfaitement entendu : je vous demande qui vous ordonne ou qui vous autorise à venir nous harceler tous les jours ?

LE NAZI (*à Freud*). C'est curieux ici… j'entends des voix…

ANNA. J'ai l'impression que vous prenez bien trop d'initiatives, pour un simple inspecteur de la Gestapo. Vous devriez vous rappeler que nous avons des soutiens dans le monde entier, que Roosevelt et même Mussolini sont intervenus auprès de votre Führer pour nous défendre et exiger qu'on nous laisse partir.

LE NAZI (*jouant toujours*). Tiens c'est curieux : maintenant je n'entends plus rien.

ANNA (*violente*). Alors décampez !

LE NAZI (*sur un sursaut*). Pardon ?

ANNA. Cela suffit, maintenant ! Décampez, et dites à vos sales bonshommes de ne pas traîner leurs fusils par terre comme la dernière fois. Emilie a passé trois jours à récupérer le parquet.

LE NAZI. Dis, la youpine, à qui crois-tu parler ?

ANNA. Ne me le demande pas !

FREUD. Anna !

Le Nazi va pour frapper Anna quand Freud s'interpose entre eux et, soutenant le regard du Nazi sans se démonter, dit rapidement, d'une voix plus sèche.

FREUD. Anna, va chercher l'argent.

LE NAZI *(subitement détendu, avec un sourire de carnassier).* Comme vous me connaissez bien, docteur Freud !

FREUD. Ce n'est pas très difficile.

ANNA. Mais père, il n'y a plus d'argent.

FREUD. Le coffre-fort.

Il indique le fond de la pièce. Anna s'y rend, soulève le tableau puis ouvre le coffre-fort qui se trouve derrière. Freud, au Nazi, sur le ton d'une politesse très mondaine.

Vous n'y aviez pas pensé ?

LE NAZI. Ces chiens de juifs ont toujours un os enterré quelque part.

FREUD. Plaignez-vous.

ANNA *(à son père).* Pourquoi leur donner encore de l'argent ?

FREUD. Pour avoir la paix.

ANNA. Alors je ne conçois pas ce que serait la guerre.

FREUD. Fais-leur confiance : ils ont plus d'imagination que toi.

ANNA *(au Nazi, en posant l'argent sur la table).* Prenez.

LE NAZI. Il y a combien ?

FREUD. Six mille schillings.

LE NAZI. Mazette !

Sifflement admiratif.

FREUD. N'est-ce pas ? Vous pouvez être fier de vous : moi, je n'ai jamais gagné autant en une seule séance.

LE NAZI *(saisissant la somme).* Ce qui me dégoûte, chez vous, les juifs, c'est que vous ne résistez même pas.

ANNA (*ne pouvant plus contenir sa colère, explose*). Maintenant que vous avez votre argent, vous vous taisez et vous partez.

FREUD. Anna !

ANNA (*à son père*). Parce qu'un imbécile se met à crier avec d'autres imbéciles, il faudrait se laisser faire ?

FREUD. Anna !

ANNA. Papa, as-tu vu comme ses bottes brillent ? Du marbre noir. Sûr qu'il doit passer des heures à les astiquer, ses bottes ! (*Au Nazi.*) Tu te sens heureux, n'est-ce pas, quand, après les avoir couvertes de cirage, tu les fais reluire avec tes premiers coups de brosse ?

LE NAZI. Mais…

ANNA. Ensuite tu passes le chiffon, tu frottes, tu frottes, elles luisent, elles s'arrondissent ; et plus elles brillent, plus tu te sens soulagé. Depuis combien de temps n'as-tu pas fait l'amour ? Auprès des femmes, n'est-ce pas, tu as beaucoup plus de mal à te faire reluire ?

LE NAZI. Je l'emmène !

ANNA. Ah bon ?

LE NAZI. A la Gestapo !

ANNA. Il veut que je lui en raconte d'autres, il a besoin qu'on lui parle de lui… Tu veux que je t'explique pourquoi tu passes, chaque matin, dix bonnes minutes à te faire la raie au milieu, presque cheveu par cheveu. Et ta manie du repassage ! Et tes ongles que tu manges ! Tu veux que je t'explique pourquoi tu méprises les femmes et bois de la bière avec les hommes ?

LE NAZI (*la prend par le bras*). A la Gestapo !

FREUD. Ne faites pas ça ! Ne faites pas ça !

ANNA. Laisse, père ! Pourquoi aurais-je peur d'une telle bande de lâches ?…

LE NAZI. Tu sais ce qu'il peut t'en coûter de parler ainsi ?

ANNA. Mieux que toi, visiblement.

Le Nazi s'approche, la main relevée, pour la frapper.

FREUD. Ma petite fille !

ANNA *(soutenant l'assaut).* Tu n'es qu'un pion, inspecteur, et un pion qui connaît mal les règles du jeu ! Tu ne sais pas que nous partons ? Le monde entier sait que nous partons.

LE NAZI. A la Gestapo ! Je l'emmène à la Gestapo !

ANNA. C'est cela, va grossir le troupeau : tu te sentiras plus fort.

LE NAZI *(à Freud).* Regarde-la bien une dernière fois, le juif.

ANNA. Ne t'inquiète pas, papa. Ils te font peur parce qu'il est trop tard, ils ne peuvent plus rien contre nous.

LE NAZI. Ah oui ? Elle est laide et elle se croit intelligente ! Tu as vraiment bien réussi ta fille, le juif.

Il emmène Anna en la tirant violemment par le bras.

ANNA *(en disparaissant).* Le papier, papa, signe simplement le papier ! Et ne dis rien à maman. Mais signe le papier, sinon nous n'obtiendrons jamais le visa de sortie. *(Se dégageant de l'étreinte du Nazi.)* Lâchez-moi ! Je vous suis…

Ils disparaissent.
Le Nazi claque la porte.

—————— scène 3 ——————

Freud seul.

FREUD *(effaré, répétant machinalement).* Le papier, le papier ! Anna !… Anna…

Il fait un violent effort pour se calmer. Il s'essuie le front et s'approche du bureau où règne un certain désordre. Toujours machinalement, mais plus paisible :

Le papier…

Il est alors traversé par une idée. Il prend le téléphone et, sans hésiter, forme un numéro.

Allô, l'ambassade des Etats-Unis ? Professeur Freud à l'appareil. Pouvez me passer monsieur Wiley ? Freud ! C'est urgent ! *(Un temps.)* Allô, monsieur l'ambassadeur ? Freud à l'appareil. Ils viennent d'emmener Anna... ma fille... mais la Gestapo ! Faites quelque chose, je vous en prie, faites quelque chose... oui, oui je vous promets, je signerai ce papier... oui, vous me rappelez !

Il raccroche, angoissé. Puis il dit, trop tard, au combiné reposé :

Merci.

Il se souvient alors de ce que lui ont demandé Anna et l'ambassadeur...

Le papier... le papier...

Il trouve le courrier en question et s'assied derrière son bureau. Il relit avant de signer.

"Je soussigné, professeur Freud, confirme qu'après l'Anschluss de l'Autriche avec le Reich allemand, j'ai été traité par les autorités allemandes, et la Gestapo en particulier, avec tout le respect et la considération dus à ma réputation scientifique, que j'ai pu vivre et travailler en pleine liberté, que j'ai pu continuer à poursuivre mes activités de la façon que je souhaitais, que j'ai pu compter dans ce domaine sur l'appui de tous, et que je n'ai pas la moindre raison de me plaindre."

Avec un soupir, il va pour signer lorsqu'il est pris d'une inspiration soudaine. Retrempant sa plume, il ajoute :

"*Post-scriptum* : Je puis cordialement recommander la Gestapo à tous."

Et il signe.
Il met de la poudre sur la feuille pour sécher l'encre.

———————— scène 4 ————————

Freud, l'Inconnu.
L'Inconnu repousse les doubles rideaux et apparaît brusquement. On ne l'a pas vu passer le rebord de la fenêtre. Sa venue doit sembler à la fois naturelle et mystérieuse.

Il est élégant, un peu trop même : frac, gants, cape, canne à pommeau, on dirait un dandy qui sort de l'Opéra.
Il regarde Freud avec sympathie.
Celui-ci, se sentant observé, se retourne.

L'INCONNU *(très naturellement)*. Bonsoir.

Freud se lève brusquement, s'appuyant sur le bureau.

FREUD. Quoi ! Qui êtes-vous ?

Silence.

Que voulez-vous ?

L'Inconnu sourit mais ne répond toujours pas.

Par où êtes-vous entré ?

L'Inconnu reste aimable et silencieux.

Que venez-vous faire ici ? *(Croyant comprendre qu'il s'agit d'un voleur.)* Il n'y a plus d'argent, vous arrivez trop tard.

L'INCONNU *(avec une moue)*. Je vous préférais lorsque vous posiez des questions.

FREUD. Qui êtes-vous ?

L'Inconnu sourit, peu disposé à répondre.
Freud, n'y tenant plus, ouvre alors le tiroir de son bureau et en extrait un revolver. Mais, au moment de le pointer vers l'Inconnu, il se sent un peu ridicule et le garde entre ses mains.

(Articulant très distinctement.) Qui êtes-vous ?

L'INCONNU *(légèrement)*. Vous ne me croiriez pas. Et ce n'est pas ce jouet qui vous y aidera. *(L'Inconnu s'approche du sofa et s'y laisse élégamment tomber.)* Causons, voulez-vous ?

FREUD *(posant l'arme)*. Monsieur, je ne parle pas à un homme qui entre chez moi par effraction et refuse de se présenter.

L'INCONNU *(se levant)*. Très bien, puisque vous insistez…

Il va prestement derrière le rideau, y disparaît deux secondes. Il en ressort essoufflé, les vêtements en désordre. Voyant Freud et semblant le découvrir, il se précipite vers lui, tombe à ses pieds.

Monsieur, monsieur, je vous en prie, sauvez-moi ! Sauvez-moi, ils me poursuivent. *(Il joue à la perfection.)* Ils sont là, derrière moi... *(Il court à la fenêtre et semble apercevoir des hommes en bas.)* La Gestapo ! Ils m'ont vu. Ils entrent dans l'immeuble ! *(Il se jette à nouveau aux pieds de Freud.)* Sauvez-moi, ne dites rien !

FREUD *(un instant pris au jeu).* La Gestapo ?

L'INCONNU *(le suppliant de manière trop théâtrale).* Cachez-moi ! Cachez-moi !

FREUD *(dégrisé, le repoussant assez violemment).* Laissez-moi tranquille !

L'INCONNU *(cessant subitement son jeu).* N'avez-vous pas de pitié pour une victime ?

FREUD. Pour une victime, oui ; pas pour un simulateur.

L'Inconnu se relève.

L'INCONNU. Alors ne me demandez pas de vous raconter des histoires.

FREUD *(se ressaisissant et parlant avec autorité).* Ecoutez : je peux faire deux hypothèses pour expliquer votre irruption ici : soit vous êtes un voleur, soit vous êtes un malade. Si vous êtes un voleur, vos confrères de la Gestapo sont passés avant vous sans vous laisser une miette. Si vous êtes un malade, vous...

L'INCONNU. Quelle serait la troisième hypothèse ?

FREUD. Vous n'êtes pas un malade ?

L'INCONNU *(à qui ce mot est désagréable).* Malade, le vilain mot, comme un coup de main que la santé donnerait à la mort !

FREUD. Et pourquoi viendriez-vous, sinon ?

L'INCONNU *(mentant).* On peut trouver bien d'autres raisons : la curiosité, l'admiration.

FREUD *(haussant les épaules).* C'est ce que disent tous mes malades !

L'INCONNU *(mentant).* Je viens peut-être pour quelqu'un d'autre...

FREUD *(idem).* C'est ce qu'ils disent ensuite.

L'INCONNU *(agacé)*. Bon… eh bien même, admettons que j'ai besoin de vous… que me proposez-vous ?

FREUD. De prendre rendez-vous ! *(Le poussant vers la porte.)* A bientôt, monsieur, à une heure qui nous conviendra à tous deux et dont nous aurons décidé tous les deux. A dans quelques jours.

L'INCONNU *(l'arrêtant)*. Impossible. Car demain, je ne serai plus là, et dans huit semaines, vous non plus.

FREUD. Pardon ?

L'INCONNU. Vous serez à Paris, chez la princesse Bonaparte… puis à Londres, à Maresfield Gardens… si ma mémoire est bonne…

FREUD. Maresfield Gardens ?… mais… vous pouvez dire ce que vous voulez, je n'en sais rien… je n'ai rien prévu…

L'INCONNU. Si, si. Vous y serez bien. Vous aimerez le printemps londonien, vous serez fêté, et vous parviendrez à finir votre livre sur Moïse.

FREUD. Je vois que vous lisez la presse scientifique.

L'INCONNU. Comment l'appellerez-vous, déjà ? *Moïse et le monothéisme*. Je préfère d'ailleurs ne pas vous dire ce que j'en pense.

FREUD *(l'interrompant)*. Je n'ai pas encore choisi le titre ! *(Répétant pour lui-même, intéressé par la proposition de l'Inconnu.) Moïse et le monothéisme*… pourquoi pas ? la suggestion est b… Vous vous intéressez à la psychanalyse ?

L'INCONNU. A vous seulement.

FREUD. Qui êtes-vous ?

L'INCONNU *(reprenant son évocation précédente)*. Mais le plus étrange est que vous regretterez Vienne.

FREUD *(violemment)*. Sûrement pas.

L'INCONNU. On ne savoure le goût du fruit qu'après l'avoir mangé ; et vous êtes de ces hommes qui n'ont de paradis que perdu. Oui, vous regretterez Vienne… Et vous la regrettez déjà puisque, depuis un mois, vous refusez de partir.

FREUD. C'était par optimisme. Je croyais que la situation allait s'arranger.

L'INCONNU. C'était par nostalgie. Vous avez joué en culottes courtes dans le Prater, vous avez proclamé vos premières théories dans les cafés, vous avez marché, enlacé à votre premier amour, le long du Danube, puis vous avez voulu mourir dans ses eaux glauques... A Vienne, c'est votre jeunesse que vous laissez. A Londres, vous ne serez qu'un vieillard. *(Très vite, pour lui-même.)* Et comme je vous envie pourtant...

FREUD. Qui êtes-vous ?

L'INCONNU. Vous ne me croiriez pas.

FREUD *(pour en finir avec l'incertitude).* Alors sortez !

L'INCONNU. Comme vous devez être las du monde pour vous débarrasser si tôt de moi. Je vous aurais cru plus accueillant envers les malades, docteur Freud. Vous me mettez dehors. Est-ce comme cela qu'on traite un névrosé ? Lorsque vous êtes le seul recours ? Imaginez que je vous quitte pour aller me jeter sous une voiture ?

Freud, sincèrement surpris par son comportement, se laisse choir sur le sofa.

FREUD. Vous tombez mal, ce soir, il n'y a plus de docteur Freud... Guérir les autres... Croyez-vous que soigner les hommes m'empêche, moi, de souffrir ? Il est même des soirs où j'en veux presque aux autres de les avoir sauvés ; je suis si seul, moi, avec ma peine. Sans recours...

L'INCONNU. Elle reviendra. *(Freud a un geste interrogatif.)* Anna. Ils la garderont peu de temps. Ils savent très bien qu'ils ne peuvent pas la garder. Et vous la tiendrez dans vos bras, lorsqu'elle reviendra, et vous l'embrasserez avec ce bonheur qui n'est pas loin du désespoir, avec ce sentiment que la vie ne tient qu'à un fil, un fil si étroit, si mince, et que le fil se trouve, provisoirement, retendu... c'est cette fragilité-là qui donne la force d'aimer...

FREUD. Qui êtes-vous ?

L'INCONNU. J'aimerais tellement vous le dire quand je vous vois comme cela.

Il a un geste pour lui caresser les cheveux.
Freud, surpris, réagit en prenant une décision. Il se lève énergi-
quement. On voit qu'en lui le praticien renaît.

FREUD. Vous avez besoin de moi ?

L'INCONNU *(légèrement surpris)*. Oui. Non. C'est-à-dire… j'ai été
ridicule… l'optimisme m'avait brouillé la tête… en vérité, il me
paraît douteux…

FREUD. … que je puisse vous aider. Naturellement ! *(Jubilant
par habitude.)* Ils se croient tous uniques quand la science pré-
suppose le contraire. Je vais m'occuper de vous puisque, de toute
façon, cette nuit, il faut attendre. *(Il relève la tête vers l'Inconnu.)*
C'est curieux, je n'ai pas très envie de vous ménager.

L'INCONNU. Vous avez raison.

FREUD *(se frottant les mains)*. Soit. Commençons. *(On le voit
ragaillardi.)* Très bien, allongez-vous là. *(Il indique le sofa. L'Inconnu s'exécute.)* Quel est votre nom ?

L'INCONNU. Sincèrement ?

FREUD. C'est la règle. *(Patient.)* Quel est votre nom ? Le nom de
votre père.

L'INCONNU. Je n'ai pas de père.

FREUD. Votre prénom.

L'INCONNU. Personne ne m'appelle.

FREUD *(agacé)*. Avez-vous confiance en moi ?

L'INCONNU. Parfaitement ; c'est vous qui ne me croyez pas.

FREUD. Bon, changeons de méthode. Racontez-moi un rêve…
votre dernier rêve.

L'INCONNU. Je ne rêve jamais.

FREUD *(diagnostiquant)*. Verrouillage de la mémoire par la cen-
sure : le cas est sérieux mais classique. Racontez-moi une histoire.

L'INCONNU. N'importe quelle histoire ?

FREUD. N'importe quelle histoire.

L'Inconnu regarde alors fixement Freud, comme s'il sondait son âme. Il semble un instant puiser sa force dans le regard de Freud, puis se met à parler.

L'INCONNU. J'avais cinq ans, et à cette époque le ciel avait toujours été bleu, le soleil jaune, et les bonnes chantaient du matin au soir en laissant échapper de leurs seins entrouverts un parfum de vanille.

Et puis un jour je restai seul dans la cuisine de la maison.

C'était une vaste pièce dont tous les meubles étaient collés aux murs, agrippés, comme pour fuir l'immense espace vide où les carreaux blancs et rouges dessinaient des chemins fuyant de toutes parts. D'ordinaire, c'était mon terrain d'aventures : à quatre pattes, on pouvait courir entre les jambes des domestiques, récupérer des bouts de lard ou lécher des fonds de plats à gâteaux... Pourquoi tout le monde était-il sorti ce jour-là ? je ne sais pas, c'est une question d'adulte, je ne l'avais pas remarqué, j'étais là, assis sur les carreaux rouge brûlé et blanc perdu.

Chaque carreau révélait un monde ; il n'y a que pour les adultes que les carreaux constituent platement un sol ; pour un enfant, chaque carreau a sa physionomie particulière. Celui-ci, dans le relief de ses irrégularités et la variation de ses coulées, racontait l'histoire d'un dragon qui se tenait, la gueule ouverte, au fond d'une grotte ; un autre montrait une procession de pèlerins ; un autre un visage derrière une vitre tachée de boue, un autre... La cuisine était un monde immense où venaient affleurer d'autres mondes, montant d'ailleurs, par les yeux borgnes des carreaux.

Et puis soudain, j'ai appelé. Je ne sais pas pourquoi. Peut-être pour m'entendre exister, et pour voir arriver quelqu'un. J'ai appelé. Il n'y eut que le silence. *(Freud semble de plus en plus frappé par ce récit.)*

Les carreaux devinrent plats. Ils se taisaient.

Le fourneau s'était endormi. La cheminée, où d'habitude ronronnait toujours une casserole, semblait morte.

Freud, le regard fixé dans le souvenir, bouge les lèvres en même temps que l'Inconnu.

Et je criais.

Et ma voix montait au premier, au second, retentissait entre les murs vides où il n'y avait nulle oreille pour l'entendre.

FREUD (*continuant, comme s'il connaissait le texte*). Et ma voix montait, montait... et l'écho ne m'en revenait que pour faire mieux entendre le silence.

L'INCONNU (*poursuivant sans interruption*). La cuisine était devenue étrangère, une juxtaposition de choses et d'objets, un sol bien propre.

FREUD. Le monde et moi, nous étions séparés désormais. Alors j'ai pensé...

FREUD ET L'INCONNU (*l'Inconnu prononce en même temps que lui les mots sur ses lèvres*). "Je suis Sigmund Freud, j'ai cinq ans, j'existe ; il faudra que je me souvienne de ce moment-là."

Un temps. Freud se retourne lentement vers l'Inconnu.

L'INCONNU (*continuant sur le même ton songeur*). Et tu as pensé aussi, mais sans le formuler cette fois-ci : "Et la maison est vide quand je crie et je pleure. Personne ne m'entend. Et le monde est cette vaste maison vide où personne ne répond lorsqu'on appelle." (*Un temps.*) Je suis venu te dire que c'est faux. Il y a toujours quelqu'un qui t'entend. Et qui vient.

Freud regarde l'Inconnu avec effarement.
Puis il s'approche de lui, le touche.
Sentant qu'il est réel, il recule.

FREUD. C'est impossible. On vous aura renseigné. Vous êtes allé à la Gestapo, vous avez lu mes papiers.

L'INCONNU. Pourquoi ? Avez-vous déjà écrit cela ?

FREUD (*un temps*). Non. Ni même raconté. (*Un temps.*) Vous venez de l'inventer !

L'Inconnu ne répond pas.
Désarçonné quelques instants, tenant à douter, Freud trouve une idée.

Ne bougez pas. (*Il attrape son pendule sur la table.*) Allongez-vous, oui, là, couchez-vous.

L'Inconnu se laisse faire.
Freud place son pendule devant le visage de l'Inconnu en l'agitant lentement d'un mouvement de balancier.

Vous êtes fatigué, vous vous laissez aller, vous...

L'INCONNU *(amusé)*. L'hypnose, docteur ? Je croyais que vous aviez abandonné cette méthode depuis des années.

FREUD. Lorsque le sujet est trop crispé pour accepter l'échange, rien ne vaut mon vieux pendule. *(Continuant la manœuvre sur un ton persuasif.)* Vos paupières se font de plus en plus lourdes… il faut dormir… vous essayez de lever le bras gauche mais ne le pouvez pas… vous êtes si fatigué, si las. Il faut dormir. Dormir, il le f…

L'Inconnu s'est endormi.
Pendant tout le temps de l'hypnose, une étrange musique, indéfinissable, très douce, va désormais baigner la scène d'irréalité. Le ton de l'Inconnu va devenir lui-même musical lorsqu'il répondra aux questions de Freud.

Qui êtes-vous ?

L'INCONNU. C'est pour ses semblables que l'on possède un nom. Moi, je suis seul de mon espèce.

FREUD. Qui sont vos parents ?

L'INCONNU. Je n'ai pas de parents.

FREUD. Sont-ils morts ?

L'INCONNU. Je suis orphelin de naissance.

FREUD. Vous n'avez aucun souvenir d'eux ?

L'INCONNU. Je n'ai aucun souvenir.

FREUD. Pourquoi ne voulez-vous pas avoir de souvenirs ?

L'INCONNU. Je voudrais avoir des souvenirs. Je n'ai pas de souvenirs.

FREUD. Pourquoi voulez-vous oublier ?

L'INCONNU. Je n'oublie jamais rien, mais je n'ai pas de souvenirs.

FREUD. Quand avez-vous connu Sigmund Freud ?

L'INCONNU. La première fois qu'il s'est fait entendre à moi, il a dit : "Je suis Sigmund Freud, j'ai cinq ans, j'existe ; il faudra que je me souvienne de ce moment-là." J'ai écouté cette petite voix frêle et enrhumée de larmes qui montait au milieu des clameurs du monde.

FREUD. Mais Sigmund Freud est plus vieux que vous. Quel âge avez-vous ?

L'INCONNU. Je n'ai pas d'âge.

FREUD. Vous ne pouviez pas entendre Sigmund Freud, vous n'étiez pas encore né.

L'INCONNU. C'est vrai : je ne suis pas né.

FREUD. Où étiez-vous lorsque vous avez entendu sa voix ?

L'INCONNU. Nulle part. Ce n'est ni loin, ni près, ni même ailleurs. C'est… inimaginable, car on n'imagine qu'avec des images, or là, il n'y a plus rien, ni prairies, ni nuages, ni étendues d'azur, rien… Où êtes-vous lorsque vous rêvez ?

FREUD. C'est moi qui pose les questions. Où sont les hommes, là où vous êtes ?

L'INCONNU. En moi, mais nulle part, comme sont en eux les songes.

FREUD. Où êtes-vous, ce soir ?

L'INCONNU. A Vienne, en Autriche, le 22 avril 1938, au 19 Berggasse, dans le bureau du docteur Freud.

FREUD. Qui est le docteur Freud ?

L'INCONNU. Un humain qui a brassé beaucoup d'hypothèses, autant de vérités que d'erreurs, un génie en somme.

FREUD. Pourquoi lui ?

L'INCONNU. Les voyants ont les yeux crevés et les prophètes un cancer à la gorge. Il est très malade.

FREUD. Mourra-t-il bientôt ?

L'INCONNU. Bientôt.

FREUD. Quand ?

L'INCONNU. Le 23 sept… *(Ouvrant subitement les yeux.)* Désolé, docteur, je ne réponds pas à ce genre de questions.

La musique a brusquement cessé.

FREUD *(interloqué à la fois par le réveil soudain et la réponse de l'Inconnu).* Mais… on ne sort pas d'hypnose comme cela… vous…

L'INCONNU. Si je réponds à votre question, vous seriez capable de mourir ce jour-là, uniquement par complaisance. Je me sentirais responsable.

Il se lève et gambade dans la pièce.

FREUD *(pour lui-même).* Je deviens fou.

L'INCONNU. La sagesse consiste souvent à suivre sa folie plutôt que sa raison. *(Il secoue ses membres.)* C'est amusant d'avoir un corps, mais qu'est-ce que l'on s'ankylose vite ! J'en avais perdu l'habitude. *(Se regardant dans la glace.)* Comment me trouvez-vous ? C'est amusant, cette figure, n'est-ce pas ? Je me suis fait la tête d'un acteur qui naîtra après votre mort.

FREUD *(spontanément).* Vous êtes beau.

L'INCONNU *(sincèrement surpris, il se penche vers le miroir).* Ah bon ? Cela n'a pourtant aucun rapport avec ce que je suis.

FREUD *(s'approchant aussi du miroir).* Croyez-vous que je me reconnaisse, moi, dans le vieillard barbu qui m'attend dans les glaces ? Je m'y habitue mais je ne m'y retrouve pas...

L'INCONNU. Vous n'aimez pas votre image ?

FREUD. Parce que la bouche bouge en face de ma bouche et la main répond à ma main, je me dis : "c'est moi". Mais "moi", ce n'est ni ce front plissé, ni ces sourcils poivre et sel, ni ces lèvres chaque jour plus sèches et raides ; mon front a été lisse, j'ai eu les cheveux châtains ; mais alors c'était pareil ; je... j'aurais pu ne pas être ce corps-là.

L'INCONNU. Comme c'est étrange ; vous décrivez ce que je ressens moi-même chaque fois que je m'incarne. Je n'aurais jamais pensé qu'il pût en être de même pour vous, les hommes.

FREUD *(le regard toujours dans la glace, un temps, contemplant l'Inconnu).* Vous m'excuserez : je ne peux pas croire que c'est vous.

L'INCONNU. Je le sais. Tu ne crois pas en moi. Le docteur Freud est un athée, un athée magnifique, un athée qui convertit, un caté-chumène de l'incroyance.

FREUD. Pourquoi moi ? Pourquoi ne pas aller chez un curé ou un rabbin ?

L'INCONNU *(léger)*. Rien de plus ennuyeux que la conversation d'un admirateur. Et puis...

FREUD. Et puis ?

L'INCONNU. Je ne suis pas sûr qu'un prêtre me remettrait mieux que vous. Ces gens-là se sont tellement accoutumés à parler en mon nom, agir pour moi, conseiller à ma place... j'ai l'impression de gêner.

On entend des bruits de bottes et des appels dans la rue.

FREUD. Pourquoi moi ? *(Un temps.)* Pour me convertir ?

L'INCONNU *(riant)*. Quel orgueil ! Non. C'est trop tard. Dans quelques mois, tu publieras ton *Moïse*... Je ne t'ai pas converti.

FREUD. Je vous vois.

L'INCONNU. Tu vois un homme, et rien d'autre.

FREUD. Vous êtes apparu brusquement.

L'INCONNU. J'ai pu entrer par la fenêtre.

FREUD. Vous saviez que la Gestapo avait emmené Anna.

L'INCONNU. Tout l'immeuble le sait.

FREUD. Vous jouez. Comment auriez-vous pu me raconter ce que j'ai vécu lorsque j'avais cinq ans ?

L'INCONNU. Te crois-tu si unique ? Il y a des hommes qui ont le pouvoir de raconter des histoires que chacun croit être siennes : ce sont les écrivains. Peut-être ne suis-je pas Dieu, mais seulement un bon écrivain ?... Tu n'es sans doute pas le seul petit bonhomme à avoir, un jour, les jambes écartées sur les carreaux de la cuisine, pris conscience qu'il existait.

FREUD *(balayant toutes ces objections par un accès de mauvaise humeur)*. Je sais à quoi m'en tenir !

L'INCONNU *(s'approchant de manière inquiétante)*. Comme c'est étrange, mon bon Freud, on dirait que, subitement, tu voudrais croire... te vautrer dans la certitude... *(Subitement.)* Quel âge avais-tu quand il est mort ?

FREUD. Qui ?

L'INCONNU. Ton père ?

FREUD. Quarante ans.

L'INCONNU. Ne fais pas semblant de ne pas comprendre : quel âge avais-tu lorsqu'il est mort dans ta tête ?

FREUD *(n'ayant pas envie de répondre)*. C'est si loin…

L'INCONNU. Allons, tu devais avoir treize ans peut-être, treize ans de cette vie-ci, quand tu t'es rendu compte que ton père pouvait se tromper, que lorsqu'il se trompait, même, il s'entêtait dans son erreur, et que ce que tu avais cru être l'autorité du juste n'était que la mauvaise foi de l'ignorant. Et tu as constaté qu'il avait des faiblesses, qu'il pouvait être timide, redouter des démarches, craindre ses voisins, sa femme… Et tu t'es rendu compte que ses principes n'étaient peut-être pas "les" principes, éternels comme le soleil derrière les nuages, mais simplement les siens, comme ses vieilles pantoufles, des principes parmi d'autres, de simples phrases qu'il s'acharnait à répéter, comme si leur rabâchage pouvait leur conférer la fermeté du vrai. Et tu t'es rendu compte qu'il prenait de l'âge, que ses bras devenaient flasques, sa peau brune, que son dos s'arrondissait, et que sa pensée elle-même avançait à tâtons. Bref, il y eut un jour où tu as su que ton père n'était qu'un homme.

FREUD. J'ai grandi ce jour-là.

L'INCONNU. Vraiment ? C'est ce jour-là que, plus enfant qu'enfant, tu t'es tourné vers Dieu. Tu as voulu croire, Freud, par dépit amoureux. Tu as voulu remplacer ton père naturel par un père surnaturel. Tu l'as mis dans les nuages.

FREUD. Mais…

L'INCONNU. Ne dis pas le contraire, c'est ce que tu as raconté toi-même dans tous tes livres. Puisque le père terrestre était mort, tu l'as projeté au ciel. C'est l'origine de l'idée de Dieu selon toi : l'homme fabrique Dieu parce qu'il a trop envie d'y croire. Une invention des hommes. Le besoin crée l'objet. *(Fort.)* Je ne serais donc qu'une satisfaction hallucinatoire ?! *(Criant.)* N'est-ce pas ?

FREUD *(faiblement)*. C'est cela.

L'INCONNU. Alors, si tu as raison, Freud, tu rêves debout en ce moment. Rien d'autre. Je ne suis qu'un fantasme !

On entend une cavalcade dans l'immeuble, des soldats qui crient.

Car ce soir, parce que tu es vieux, parce qu'ils ont pris ta fille, parce qu'ils te chassent, te revoilà tout petit et tu aurais besoin d'un père. Alors le premier inconnu qui pénètre chez toi de manière un peu incompréhensible et qui parle bien l'obscur, il fait l'affaire, tu oublies tout ce que tu dénonces et tu crois.

Les bruits se rapprochent.

FREUD. Jamais un homme ne m'aurait dit ce que vous avez dit tout à l'heure, sous hypnose.

A ce moment-là, on frappe fermement à la porte.
Stupidement, Freud regarde l'Inconnu avec effroi, comme pour lui demander ce qui se passe.

L'INCONNU *(chuchotant)*. Eh bien, répondez.

L'Inconnu se précipite derrière le rideau. Au même moment paraît le Nazi.

------- scène 5 -------

Freud, le Nazi, l'Inconnu caché.
Le Nazi entre en regardant autour de lui, suspicieux.

LE NAZI. Ça ne répond pas vite. *(Il fait signe aux autres soldats dans l'antichambre.)* Continuez sans moi.

FREUD. Où est ma fille ?

LE NAZI *(inspectant la pièce)*. A la Gestapo.

FREUD. Vous ne la ramenez pas ?

LE NAZI. On verra. Pour l'instant, ils s'amusent un peu avec elle. Elle est très attachante. *(Brusquement.)* Vous étiez seul ?

FREUD *(gêné)*. Naturellement. Vous voyez bien.

LE NAZI (*passant devant le bureau*). Ah, mais je vois que l'on a signé son papier… (*Il ramasse la feuille et la met dans sa poche.*) C'est bien, au fond vous êtes très sage.

FREUD. Et ma fille ?

LE NAZI (*continuant à fouiller distraitement la pièce, comme s'il cherchait quelqu'un*). Soyez patient, on vous la rendra sûrement si vous partez… on ne va pas rater l'occasion de se débarrasser de quelques juifs.

FREUD. Vous me la rendrez… intacte ?

LE NAZI (*rire gras*). Pourquoi ? Vous espérez toujours la marier ? (*Il se plante devant la bibliothèque et cesse de rire.*) C'est curieux, moi, les juifs, je les renifle sans les voir, j'ai comme un flair.

FREUD. Vraiment ? Et vous m'avez reniflé, moi ?

LE NAZI (*riant*). Ah ça !

FREUD. Et qu'est-ce que je sens ?

LE NAZI (*simplement*). Ce n'est pas vous qui avez une odeur, c'est moi quand vous êtes là.

FREUD. Et qu'est-ce que vous sentez ?

LE NAZI. La merde.

FREUD (*très choqué*). Pardon ?

LE NAZI. C'est simple, ça m'a toujours fait ça. Quand je me trouve moche, minable, quand je me dis que je n'ai pas d'argent et que ça ne s'arrangera pas demain, quand je me dis qu'aucune femme ne voudra plus de moi, il suffit que je me retourne, ça ne rate jamais : il y a un juif qui me regarde. Le juif me rend merdeux. C'est à cause de lui, toujours. Tiens, là, en ce moment, quand je suis chez vous, et que je vois tous ces meubles, ces tableaux, ces tentures, ce bureau, tous ces livres, moi qui n'en ai pas lus, j'ai des boules dans la gorge : je sais que je suis chez un juif.

FREUD. C'est étrange : moi, lorsque je me trouve médiocre, je ne m'en prends qu'à moi-même.

LE NAZI. Normal, vous êtes juif. (*Insistant.*) C'est comme un flair, je vous dis, j'ai du nez.

Sans transition, le Nazi sort un papier de sa poche. C'est la raison de sa visite.

LE NAZI. Qu'est-ce que c'est, ça ?

Freud ne répond pas. Il est visiblement gêné par la vue du document.

C'est curieux que vous ne sautiez pas de joie… Pourtant vous devriez être inquiet de l'avoir perdu ?… Et puis c'est utile, un testament… surtout à votre âge… et par les temps qui courent…

FREUD. Où voulez-vous en venir ?

LE NAZI. Là où je suis. Je vois sur votre testament que vous avez des comptes en banque à l'étranger. Ce n'est pas bien, ça, vous ne nous l'aviez pas dit…

FREUD *(faiblement)*. Vous me l'avez demandé ?

LE NAZI. C'est antinational de se mettre des sous à gauche… Vous volez l'Etat… Alors, vous ne voudriez pas nous rapatrier tout ça ? Et vite ?

FREUD. Cet argent est pour mes enfants…

LE NAZI. Et vous avez bien raison ! Peut-être que, justement, votre fille en aurait besoin, de cet argent, là où elle est… peut-être que cela pourrait adoucir l'interrogatoire… qui sait ? *(Pervers.)* Je suis le seul à connaître ce papier. Ça ne serait pas bon que je retourne là-bas, à la Gestapo, en leur montrant ce vilain papier, non, ça ne serait pas bon, ça ferait mauvais effet. Pour vous. Pour elle.

FREUD *(battant en retraite)*. Que voulez-vous que je fasse ?

LE NAZI. Eh bien, d'abord vous réfléchissez… Il paraît que vous faites ça très bien, professeur… *(Montrant le testament d'une main et la reconnaissance signée par Freud de l'autre.)* Parce que, franchement, j'ai peur que ce papier n'annule l'autre, voyez-vous ?

Il retourne vers la porte et crie aux soldats qui sont dans le couloir :

Il n'y a personne ici, on peut laisser tomber. Etage suivant.

FREUD *(spontanément)*. Qu'est-ce qui se passe ? Vous cherchez quelqu'un ?

LE NAZI. Vous n'avez vu personne ? Alors !... *(Il s'arrête sur le pas de la porte.)* Réfléchissez, et voyez ce que vous pouvez faire. A mon avis, c'est une histoire qui devrait rester entre vous et moi... vous voyez ce que je veux dire ? *(Avec un grand sourire.)* Je repasserai...

Il sort.

──────── scène 6 ────────

Freud, l'Inconnu.
L'Inconnu sort des rideaux. Il a les yeux perdus dans le lointain, comme s'il avait une vision.

L'INCONNU. Cet homme ment.

FREUD *(toujours dans son trouble)*. Il a malheureusement raison : j'ai des comptes à l'étranger.

L'INCONNU. Il ment au sujet d'Anna. On ne l'interroge pas.

FREUD *(immédiatement inquiet)*. Anna ! Que lui fait-on ?

L'INCONNU *(précisant sa vision)*. Elle est à la Gestapo, hôtel Métropole. Elle est dans un couloir, elle attend.

FREUD. C'est bien.

L'INCONNU. Non, ce n'est pas bien. Elle sait que si elle reste dans le couloir sans être interrogée, elle risque d'être ramassée, ce soir, avec tous les autres juifs, et d'être déportée dans un camp... ou fusillée.

Freud a un cri de bête et se précipite sur l'Inconnu, l'attrapant par le col.

FREUD. Faites quelque chose !

L'INCONNU. Il faut qu'elle soit interrogée.

FREUD. Intervenez ! Vite !

L'Inconnu le repousse calmement, continuant à décrire ce qu'il voit.

L'INCONNU. Elle tâte quelque chose qu'elle a dans sa poche, je ne vois pas très bien… une fiole…

Freud se laisse brusquement tomber sur un siège.

FREUD *(atone)*. Je sais ce que c'est. Du véronal. Elle en a demandé à Schur, mon médecin. Elle voulait que nous nous suicidions.

L'INCONNU *(un instant distrait de sa vision)*. Elle vous l'a proposé ?

FREUD. Oui.

L'INCONNU *(idem)*. Et qu'avez-vous répondu ?

FREUD. Que c'était là ce que les nazis voulaient, donc que nous ne le ferions pas.

L'INCONNU *(reprenant sa vision)*. Pour l'instant, elle se contente de serrer le flacon dans sa main, il la rassure. Maintenant, elle approche son avant-bras de sa bouche et…

Il éclate de rire.

FREUD. Que fait-elle ?

L'INCONNU *(riant toujours)*. Elle se mord le bras jusqu'au sang… ça y est… elle saigne !

FREUD *(fou d'inquiétude)*. Mais qu'est-ce qu'il lui prend ?!

L'Inconnu brusquement se détache de sa vision, comme s'il éteignait un appareil quelconque.

L'INCONNU. Tout va bien, les choses suivent leur cours.

FREUD. Mais non ! Dites la suite !

L'INCONNU *(très vite)*. Les nazis ont accouru. Ils sont prêts à tuer des milliers d'êtres humains mais ils soigneront toujours une femme qui saigne d'une blessure bénigne. Elle a réussi : elle a attiré l'attention sur elle, ils vont l'interroger. Ne te fais pas de soucis : tu as une fille intelligente, mon Freud…

Freud a été trop secoué par cette évocation.

FREUD. Je… Je… je suppose que je dois vous croire.

L'Inconnu fait un signe de tête affirmatif. Il s'approche de Freud en souriant, lui prend les mains, les serre, et le calme.
Mais démentant sa bonté, il ajoute avec un petit sourire :

L'INCONNU. Cinq cents suicides depuis un mois à Vienne. Des juifs, essentiellement.

FREUD. Comment le savez-vous ?

L'INCONNU. Je lis les journaux. Les autorités nazies, pour démentir, ont publié une notule corrective disant que la rumeur exagérait et qu'il n'y avait eu que quatre cent quatre-vingt-sept morts volontaires. Ces gens-là ont le sens de l'exactitude.

On entend de nouveau les pas des nazis dans le vestibule et le Nazi en train de hurler des ordres.

FREUD *(effrayé)*. Le revoilà ! Que vais-je lui dire ? Si j'accepte, nous n'aurons plus rien !

L'INCONNU. Retourne la situation.

FREUD. Comment ?

L'Inconnu prend une photo sur le bureau et la tend à Freud.

L'INCONNU. Tiens, sers-toi de ça.

FREUD. Cette photo ? Mais pour quoi faire ? Que voulez-vous que je lui dise ? Restez avec moi !

L'INCONNU. Allons, mon Freud, pas d'enfantillage. Tu devrais avoir confiance maintenant.

FREUD. Restez avec moi ! Parlez-lui !

L'INCONNU. Ridicule ! De toute façon, il ne peut pas me voir. Je ne suis visible que pour toi, ce soir.

─────── scène 7 ───────

Freud, le Nazi, l'Inconnu caché.
Le Nazi est entré. L'Inconnu a sauté derrière les rideaux. Freud tient encore bêtement la photographie que lui a remise l'Inconnu.

LE NAZI. Alors, professeur Freud, vous avez réfléchi ?

Freud, en face du Nazi, retrouve immédiatement sa superbe, quoiqu'il ne sache toujours pas quoi faire.

FREUD. J'ai réfléchi, effectivement.

Il cherche à gagner du temps en faisant les cent pas.

(Pensif, en fixant le Nazi.) Oui, je songeais… *(Il cherche de toutes ses forces.)* J'ai retrouvé par hasard cette photographie de mon oncle Simon *(Il lui met sous les yeux.)* et je me disais…

LE NAZI *(sans regarder)*. Pas de détour. Comment me ferez-vous passer l'argent ?

FREUD *(trouvant sa tactique)*. J'y viens, j'y viens… J'ai donc retrouvé ce portrait de mon oncle Simon et, en la regardant, je repensais à ce que vous me disiez lorsque vous m'affirmiez avoir un nez pour reconnaître les juifs. Un nez, c'est bien cela ? Eh bien, c'est étrange, parce que… je me disais… ah non !… je dois me tromper…

LE NAZI. Quoi ?

FREUD. Non, je pensais… ce nez…

LE NAZI *(inquiet)*. Pardon ?

FREUD. Votre nez. Il rappelle trait pour trait, narine pour narine, celui de mon oncle Simon, qui était rabbin. *(Le Nazi, d'instinct, met la main devant son nez.)* Notez que je ne suis pas très fort au jeu des ressemblances, mais là, vraiment… c'est plus qu'un air de famille… c'est… Notez que moi, finalement, j'ai le nez beaucoup plus droit, moins busqué que vous… Mais c'est moi qui suis juif ! Notez, par ailleurs, qu'on ne m'a jamais vu à la synagogue… Mais c'est moi qui suis juif ! Notez aussi que je n'ai jamais rien fait pour de l'argent… Mais c'est moi qui suis juif ! Mais c'est étrange, tout de même… on ne vous a jamais parlé de votre nez ?

LE NAZI *(reculant)*. Je dois partir.

FREUD. Auriez-vous dans vos parents…

LE NAZI. Je dois partir.

FREUD. Oui, vous avez raison de chasser le juif. Il faut choisir son camp ! Et les exterminer ! Tous ! Car ce qui rend les juifs dangereux, c'est qu'on n'est jamais sûr de ne pas en être un ! *(Enchaînant.)* Vous vouliez que l'on parle des fonds que j'ai placés à l'étranger ?

LE NAZI *(comprenant le chantage).* C'est inutile.

FREUD. Allons donc voir vos supérieurs, je me ferais un plaisir de parler avec eux... de cet argent... du fait que vous ne leur avez pas signalé mon testament... de mes petites hypothèses d'amateur sur les proximités physiques... nous causerons...

LE NAZI. C'est inutile. Je... je n'ai jamais eu connaissance de votre testament...

FREUD. Et ma fille ? Revient-elle bientôt ?

LE NAZI *(comprenant le chantage).* Bientôt.

FREUD *(avec un sourire ironiquement humble).* Très bientôt ?

LE NAZI. C'est possible. Et vous partirez bientôt ?

FREUD *(même sourire).* Très bientôt.

LE NAZI. Bonsoir.

FREUD. Bonsoir. *(Au moment où le Nazi se retourne.)* Ah, monsieur le Gestapiste, j'ai trouvé ce que j'ai de juif et que vous n'avez pas... : dans quelques jours, nous serons sur les routes de l'exode, ma femme, mes enfants et moi, avec nos valises et nos baluchons ; nous aurons été chassés ; ce doit être cela, un juif.

LE NAZI *(fermé).* Bonsoir.

Le Nazi sort et Freud ne peut s'empêcher de se frotter les mains de joie : c'est une victoire. Et il se dirige vers le rideau où se trouve caché l'Inconnu, pour la célébrer avec lui.
Mais le Nazi réapparaît sur le pas de la porte, se rappelant, malgré son trouble, pourquoi il est venu chez Freud.

Au fait, vous n'avez vu personne ?

FREUD *(surpris mais niant par réflexe).* Personne.

LE NAZI *(satisfait).* Très bien.

FREUD. Qu'aurais-je dû voir ?

LE NAZI *(se retirant)*. Inutile puisque vous n'avez rien vu.

FREUD *(se précipitant vers le Nazi un peu trop prestement)*. Mais que se passe-t-il ? Qu'aurais-je dû voir ?

LE NAZI. Rien, docteur. Il s'agit simplement de cet homme qui s'est échappé. Il est rentré dans un des immeubles de la Berggasse. Nous le cherchons depuis une heure.

FREUD *(rapidement, avec angoisse)*. Il n'est pas ici.

LE NAZI. Je vous crois. Bonsoir.

Il va de nouveau pour partir.

FREUD. Mais d'où s'est-il échappé ? De prison ?

LE NAZI. De l'asile. C'est un fou. Certains prétendent l'avoir vu s'approcher de votre immeuble. Alors nous visitons tous les étages.

FREUD. Quel type de fou est-il ? Un hystérique ? Un angoissé ? Un obsédé ?

LE NAZI *(avec une assurance professionnelle)*. Un cinglé. *(Un temps.)* Mais il n'est pas dangereux ; je crois que c'est un de ces types qui se racontent des histoires, vous savez, le genre qui se prend pour Goethe ou pour Napoléon...

FREUD *(avec angoisse)*. Un mythomane !

LE NAZI. Bonsoir, docteur, et fermez bien votre fenêtre et vos portes, au cas où...

Il sort.

───────── scène 8 ─────────

Freud, l'Inconnu.
Freud, effondré, trop déçu d'avoir perdu sa neuve croyance, ne bouge plus.
L'Inconnu se dégage lentement des doubles rideaux et va fermer la fenêtre.
Puis il se retourne et regarde Freud.

L'INCONNU. Walter Oberseit.

FREUD *(atone)*. Pardon ?

L'INCONNU. Walter Oberseit. C'est le nom de l'homme qu'on cherche.

FREUD. C'est-à-dire le vôtre.

L'Inconnu ne dément pas. Un temps.

L'INCONNU. Walter Oberseit. Un pauvre homme que l'on a élevé enfermé dans une cave durant ses douze premières années. Lorsqu'on l'a délivré, il n'avait jamais vu le jour ni entendu une voix, il ne connaissait que les ténèbres. Il est resté prostré pendant des mois : on a dit qu'il était imbécile. Puis, lorsqu'on l'a amené à la parole, il s'est mis à inventer des histoires, des récits où il se mettait en scène, comme pour rattraper toute cette vie perdue : on a dit alors qu'il était mythomane. *(Freud souffre tellement qu'il voudrait ne plus entendre.)* Personne n'avait rêvé sa vie pour lui. Personne ne se pencha sur son berceau en lui prêtant le succès, le brillant ou les plus belles amours. Les fous sont toujours des enfants que personne n'a rêvés. *(Un temps.)* Je me sens très proche de lui.

FREUD *(paisiblement)*. C'est étrange, vous m'avez roulé, je ne vous en veux même pas.

Freud s'approche de la fenêtre et l'ouvre.

Au contraire, même, je me sens comme débarrassé d'une douleur, comme si l'on m'avait enlevé une épine...

L'INCONNU. C'était le doute.

FREUD *(devant la fenêtre ouverte)*. Le monde a mal, ce soir. *(On entend au loin les couplets des soldats nazis.)* Il retentit des chants de la haine ; on me prend ma fille ; et un malheureux entre chez moi que, pour la première fois, je ne veux pas soigner...

Il se retourne vers l'Inconnu.

Car je ne vous soignerai pas. Ni ce soir, ni demain. Je ne crois plus à la psychanalyse. Plus dans ce monde-ci... *(Pour lui-même.)* Faut-il sauver un canari lorsque toute la ville brûle ? Comment croirais-je encore à une cure ? N'est-il pas ridicule de soigner un homme lorsque le monde entier devient fou ?... *(Sans se retourner vers l'Inconnu.)* Est-il vrai que personne ne vous a aimé ?

L'INCONNU *(subitement ému)*. Aimé vraiment ? Je ne sais pas.

FREUD *(sans se retourner)*. Sans amour, il n'y a que solitude. *(L'Inconnu, trop ému, ne peut même pas répondre.)* Si je n'aimais pas Anna, Martha, mes fils, aurais-je pu continuer à vivre ?

L'INCONNU. Mais dans ce que vous appelez votre amour, il y a le leur, celui qu'ils vous donnent en retour…

FREUD. C'est vrai.

L'INCONNU. … tandis que lorsque vous êtes seul à aimer, tout à fait seul…

FREUD *(se retourne et prend maladroitement la main de l'Inconnu)*. Je ne vous en veux pas de m'avoir menti. Mais ce soir, je ne peux qu'attendre ma petite Anna, rien d'autre. Venez me voir demain. Nous… nous parlerons. Je… je ne saurai peut-être pas vous… aimer… mais je vous soignerai, ce qui est une autre manière d'aimer… *(Prenant sa décision.)* Je m'occuperai de vous.

L'Inconnu garde la main de Freud dans les siennes et Freud, quoique très pudibond, ne se sent pas la force de lui refuser cela.

Voyez, ici, il n'y a que nous, deux hommes, et la souffrance… c'est pour cela que Dieu n'existe pas… Le ciel est un toit vide sur la souffrance des hommes…

L'INCONNU. Vous le pensez ? Vraiment ?

FREUD. La raison a fait fuir les fantômes… Il n'y aura plus de saints désormais, seulement des médecins. C'est l'homme qui a la charge de l'homme. *(Un temps.)* Je vous soignerai.

L'INCONNU *(sur le ton de la confidence)*. Dites-moi, tout à l'heure, vous avez réellement cru que j'étais… *(Montrant le ciel.)*… Lui ?

FREUD *(honteux)*. J'ai perdu pied.

L'INCONNU *(amusé)*. Mais c'est fini ? *(Signe affirmatif de Freud.)* Au fond, vous croyez plus facilement en Walter Oberseit qu'en Dieu ?

FREUD. Vous savez, monsieur Oberseit, je suis un vieillard. J'ai passé toute ma vie à défendre l'intelligence contre la bêtise, à soigner, à me battre pour les hommes contre les hommes, sans trêve, sans respiration, et à quoi cela me donne-t-il droit ? Certains jours, ma gorge pue tellement que même Toby, mon chien, ne m'approche plus et me regarde, malheureux, du fond de la pièce... J'aurais souhaité une mort sèche, brève : j'ai droit à l'agonie. Alors mille fois j'aurais pu murmurer le nom de Dieu, mille fois j'aurais voulu boire le miel de sa consolation, mille fois j'aurais souhaité que la croyance en un Dieu me donnât du courage pour souffrir et entrer dans la mort. J'ai toujours résisté. C'était trop simple. Tout à l'heure, j'ai failli céder, parce que c'était la peur qui pensait à ma place.

L'INCONNU. Il fallait céder.

FREUD. Je prends assez de drogues, je ne veux pas de celle-ci.

L'INCONNU. Pourquoi pas celle-ci ?

FREUD. Parce que c'est l'esprit qu'elle anesthésie.

L'INCONNU. Mais si votre esprit en a besoin...

FREUD. C'est la bête en moi qui veut croire, pas l'esprit ; c'est le corps qui ne veut plus tremper ses draps d'angoisse ; c'est un désir de bête traquée, c'est le regard du chevreuil acculé au rocher par la meute et qui cherche encore une issue... Dieu, c'est un cri, c'est une révolte de la carcasse !

L'INCONNU. Alors vous ne voulez pas croire parce que cela vous ferait du bien !?

FREUD (*violent*). Je ne crois pas en Dieu parce que tout en moi est disposé à croire ! Je ne crois pas en Dieu parce que je voudrais y croire ! Je ne crois pas en Dieu parce que je serais trop heureux d'y croire !

L'INCONNU (*toujours un peu badin*). Mais enfin, docteur Freud, si cette envie est là, pourquoi la refouler ? Pourquoi vous censurer ? Si je me rapporte à vos travaux...

FREUD. C'est un désir dangereux !

L'INCONNU. Dangereux pour quoi ? Pour qui ?

FREUD. Pour la vérité... Je ne peux me laisser bluffer par une illusion.

L'INCONNU. La vérité est une maîtresse bien sévère.

FREUD. Et exigeante...

L'INCONNU. Et insatisfaisante !

FREUD. Le contentement n'est pas l'indice du vrai. *(Expliquant, les yeux perdus dans son récit.)* L'homme est dans un souterrain, monsieur Oberseit. Pour toute lumière, il n'a que la torche qu'il s'est faite avec des lambeaux de tissu, un peu d'huile. Il sait que la flamme ne durera pas toujours. Le croyant avance en pensant qu'il y a une porte au bout du tunnel, qui s'ouvrira sur la lumière... L'athée sait qu'il n'y a pas de porte, qu'il n'y a d'autre lumière que celle-là même que son industrie a allumée, qu'il n'y a d'autre fin au tunnel que sa propre fin, à lui... Alors, nécessairement, ça lui fait plus mal quand il se cogne au mur... ça lui fait plus vide quand il perd un enfant... ça lui est plus dur de se comporter proprement... mais il le fait ! Il trouve la nuit terrible, impitoyable... mais il avance. Et la douleur devient plus douloureuse, la peur plus peureuse, la mort définitive... et la vie n'apparaît plus que comme une maladie mortelle...

L'INCONNU. Votre athée n'est qu'un homme désespéré.

FREUD. Je sais l'autre nom du désespoir : le courage. L'athée n'a plus d'illusions, il les a toutes troquées contre le courage.

L'INCONNU. Qu'est-ce qu'il gagne ?

FREUD. La dignité.

Un temps.
L'Inconnu s'approche de Freud. Il semble doux, sincère.

L'INCONNU. Tu es trop amoureux de ton courage.

FREUD. Ne me tutoyez pas.

Un temps.

L'INCONNU. Vous m'en voulez ?

FREUD. J'ai trop mal à tout ce qu'il y a de sensible en moi pour éprouver de la haine.

L'Inconnu lui saisit de nouveau les mains.

L'INCONNU. Merci. *(Un temps.)* Vous m'en voulez de ne venir que maintenant. Mais si je m'étais montré plus tôt à vous, cela n'aurait rien changé. Vous auriez eu la même vie, Freud, digne, belle, généreuse…

FREUD *(lassé)*. Walter Oberseit, cessez de vous prendre pour Dieu. Ce qu'il y a d'intact en vous sait très bien que c'est faux.

Il dégage ses mains.

L'INCONNU *(récapitulant avec un sourire)*. Ainsi vous ne croyez pas en Dieu, mais en Walter Oberseit. *(Avec une révérence.)* Très flatté pour lui. *(Avec amusement.)* Mais qui vous prouve que Walter Oberseit existe ?

FREUD *(sans sourire)*. Je suis fatigué.

L'INCONNU. Non, vous n'êtes pas fatigué, vous pensez continuellement à Anna. Ce serait attendrissant si ce n'était un peu vexant…

FREUD *(avec un mouvement de colère)*. De toute façon, il vaut mieux pour vous, ce soir, que vous soyez qui vous êtes… un imposteur… parce que si vous aviez été Dieu…

L'INCONNU *(très intéressé)*. Oui ?

FREUD *(se levant)*. Et si vous aviez été Dieu, vous… auriez choisi un bien vilain soir… oui, si Dieu existait… et se trouvait là, devant moi !…

L'INCONNU. Si Dieu existait ?

FREUD. Pour vous, je n'ai pas de colère, oh non… Mais pour Dieu, s'il sortait de ce néant où je l'ai rangé, je…

L'INCONNU. Si vous aviez Dieu en face de vous ?

FREUD. Si Dieu se montrait en face de moi, je lui demanderais des comptes. Je lui demanderais…

La colère montant, il se lève brusquement.

L'INCONNU *(l'encourageant)*. Vous lui demanderiez ?

FREUD. Je lui dirais… *(La véhémence le gagne.)* Que Dieu mette donc le nez à la fenêtre ! Dieu sait-il que le mal court les rues en bottes de cuir et talons ferrés, à Berlin, à Vienne, et bientôt dans toute l'Europe ? Dieu sait-il que la haine a désormais son parti où toutes les haines sont représentées : la haine du juif, la haine du Tzigane, la haine de l'efféminé, la haine de l'opposant ?

L'INCONNU *(pour lui-même)*. Peut-il l'ignorer ?

FREUD. Mais il n'était même pas nécessaire que le mal devînt spectaculaire, qu'il prît les armes et se teignît de sang, je l'ai toujours vu partout, le mal, depuis ce jour où, les jambes écartées sur les carreaux de la cuisine, j'appelai dans un monde où personne ne répondait. *(S'approchant de l'Inconnu.)* Si je l'avais en face de moi, Dieu, c'est de cela que je l'accuserais : de fausse promesse !

L'INCONNU. De fausse promesse ?

FREUD. Le mal, c'est la promesse qu'on ne tient pas. *(Il pense tout haut.)* Qu'est-ce que la mort, sinon la promesse de la vie qui court, là, dans mon sang, sous ma peau, et qui n'est pas tenue ? Car lorsque je me tâte, ou lorsque je me livre à cette ivresse mentale, le pur bonheur d'exister, je ne me sens pas mortel : la mort n'est nulle part, ni dans mon ventre, ni dans ma tête, je ne la sens pas, la mort, je la sais, d'un savoir appris, par ouï-dire. L'aurais-je su, que je périrai, si on ne m'en avait pas parlé ? Ça frappe par-derrière, la mort. De moi-même, j'étais parti pour un tout autre chemin, je me croyais immortel. Le mal, dans la mort, ce n'est pas le néant, c'est la promesse de la vie qui n'est pas tenue. Faute à Dieu ! Et qu'est-ce que la douleur sinon l'intégrité du corps démentie ? Un corps fait pour courir et jouir, un corps tout un, et le voilà vulnéré, amputé, défait. On l'a floué. Non, la douleur ne se vit pas dans la chair, car toute blessure est une blessure à l'âme ; c'est la promesse qui n'est pas tenue. Faute à Dieu !
Et le mal moral, le mal que les hommes se font les uns aux autres, n'est-ce pas la paix rompue ? Car la promesse qu'il y avait dans la chaleur d'une tête blottie entre les deux seins d'une mère, car la tendresse d'une voix douce qui parlait du plus profond de la gorge lors même que nous ne comprenions pas encore les mots, car cette entente avec tout l'univers que nous avons connue d'abord, quand l'univers se résumait à deux mains aimantes qui nous donnaient biberons, sommeil, caresses, où tout cela est-il passé ? Pourquoi cette guerre ? Promesse non tenue ! Re-faute à Dieu.

Mais le mal le plus grave, oui, la fine pointe du mal, ce dont toute une existence ne console pas, c'est cet esprit, borné, limité, que l'intelligence même a rendu imbécile. Il semblerait que Dieu nous ait donné un esprit uniquement pour que nous touchions ses limites ; la soif sans la boisson. On croit que l'on va tout comprendre, tout connaître, on se croit capable des rapprochements les plus inouïs, des échafaudages les plus subtils, et l'esprit nous lâche en route. Nous ne saurons pas tout. Et nous ne comprendrons pas grand-chose. Vivrais-je trois cent mille ans encore que les étoiles, même nombrées, demeureraient indéchiffrables, et que je chercherais toujours ce que je fais sur cette terre, les pieds dans cette boue ! La finitude de notre esprit, voilà la dernière de ses promesses non tenues. Elle serait belle la vie, si ce n'était une traîtrise…

Elle serait facile, la vie, si je n'avais pas cru qu'elle dût être longue, et juste, et heureuse…

L'INCONNU. Tu en attendais trop.

FREUD. Il fallait me faire plus bête, que je n'espère rien… Voilà, monsieur Oberseit, si Dieu existait, ce serait un Dieu menteur. Il annoncerait et il lâcherait ! Il ferait mal. Car le mal, c'est la promesse qu'on ne tient pas.

L'INCONNU. Laissez-moi vous expliquer.

FREUD. Expliquer c'est absoudre : je ne veux pas d'explications. Si Dieu était content de ce qu'il a fait, de ce monde-ci, ce serait un drôle de Dieu, un Dieu cruel, un Dieu sournois, un criminel, l'auteur du mal des hommes ! Il vaudrait mieux pour lui-même qu'il n'existe pas. Au fond, s'il y avait un Dieu, ce ne pourrait être que le Diable…

L'Inconnu a un haut-le-corps.

L'INCONNU. Freud !

FREUD. Walter Oberseit, vous êtes un imposteur, un imposteur brillant, mais vous devriez vous reconnaître un maître dans l'imposture : ce serait Dieu lui-même.

L'INCONNU. Vous délirez.

FREUD. Alors si Dieu était en face de moi, ce soir, un soir où le monde pleure et ma fille est prise dans les griffes de la Gestapo, je préférerais lui dire : "Tu n'existes pas ! Si tu es tout-puissant, alors tu es mauvais ; mais si tu n'es pas mauvais, tu n'es pas bien puissant. Scélérat ou limité, tu n'es pas un Dieu à la hauteur de Dieu. Il n'est pas nécessaire que tu sois. Les atomes, le hasard, les chocs, cela suffit bien pour expliquer un univers aussi injuste. Tu n'es, définitivement, qu'une hypothèse inutile !"

L'INCONNU *(doucement).* Et Dieu vous répondrait sans doute ceci : "Si tu pouvais voir, comme moi, à l'avance, le ruban des années à venir, tu serais plus virulent encore, mais tu détournerais ton accusation vers le vrai responsable." *(Les yeux plissés.)* Si tu voyais plus loin... *(Sur un ton de visionnaire songeur.)* Ce siècle sera l'un des plus étranges que la terre ait portés. On l'appellera le siècle de l'homme, mais ce sera le siècle de toutes les pestes. Il y aura la peste rouge, du côté de l'Orient, et puis ici, en Occident, la peste brune, celle qui commence à se répandre sur les murs de Vienne et dont vous ne voyez que les premiers bubons ; bientôt elle couvrira le monde entier et ne rencontrera presque plus de résistance. On vous chasse, docteur Freud ? Estimez-vous heureux ! Les autres, tes amis, tes disciples, tes sœurs, et tous les innocents, on va les tuer... Dizaines par dizaines, milliers par milliers, dans de fausses salles de douches qui libéreront du gaz en place d'eau ; et ce seront leurs frères, aux morts, qui déblaieront les corps et les jetteront dans les remblais. Et, savez-vous, les nazis feront même du savon avec leurs graisses ?... étrange, n'est-ce pas, que l'on puisse se laver le cul avec ce que l'on hait ?
Et il y aura d'autres pestes, mais à l'origine de toutes ces pestes, le même virus, celui même qui t'empêche de croire en moi : l'orgueil ! Jamais l'orgueil humain n'aura été si loin. Il fut un temps où l'orgueil humain se contentait de défier Dieu ; aujourd'hui, il le remplace. Il y a une part divine en l'homme ; c'est celle qui lui permet, désormais, de nier Dieu. Vous ne vous contentez pas à moins. Vous avez fait place nette : le monde n'est que le produit du hasard, un entêtement confus des molécules ! Et dans l'absence de tout maître, c'est vous qui désormais légiférez. Etre le maître... ! Jamais cette folie ne vous prendra le front comme en ce siècle. Le maître de la nature : et vous souillerez la terre et noircirez les nuages ! Le maître de la matière : et vous ferez trembler le monde ! Le maître de la politique : et vous créerez le totalitarisme ! Le

maître de la vie : et vous choisirez vos enfants sur catalogue ! Le maître de votre corps : et vous craindrez tellement la maladie et la mort que vous accepterez de subsister à n'importe quel prix, pas vivre mais survivre, anesthésiés, comme des légumes en serre ! Le maître de la morale : et vous penserez que ce sont les hommes qui inventent les lois, et qu'au fond tout se vaut, donc rien ne vaut ! Alors le Dieu sera l'argent, le seul qui subsiste, on lui construira des temples de partout dans les villes, et tout le monde pensera creux, désormais, dans l'absence de Dieu.

Au début, vous vous féliciterez d'avoir tué Dieu. Car si plus rien n'est dû à Dieu, tout revient donc à l'homme. Au début, la vanité ne connaît pas l'angoisse. Vous vous attribuerez toute l'intelligence. Jamais l'histoire n'aura vu des philosophes plus noirs et cependant plus heureux.

Mais, Freud, et cela, tu ne le vois pas encore, le monde entier se sera privé de la lumière. Quand un jeune homme, un soir de doute comme cet âge en connaît tant, demandera aux hommes mûrs autour de lui : "S'il vous plaît, quel est le sens de la vie ?", personne ne pourra lui répondre.

Ce sera votre œuvre.

A toi et à d'autres.

Voilà ce que vous ferez, les grands de ce siècle : vous expliquerez l'homme par l'homme, et la vie par la vie. Que sera l'homme : un fou dans sa cellule, jouant une partie d'échecs entre son inconscient et sa conscience ! Après toi, définitivement, l'humanité sera seule dans sa prison. Oh, toi, tu as encore l'ivresse du conquérant, de ceux qui défrichent, de ceux qui fondent... mais pense aux autres, ceux qui naîtront : que leur auras-tu laissé comme monde ? L'athéisme révélé ! une superstition encore plus sotte que toutes celles qui précèdent !

FREUD *(effrayé)*. Je n'ai pas voulu cela.

Freud se rend alors compte qu'il vient de parler à l'Inconnu comme s'il était Dieu. Il se prend la tête entre les mains, gémit et tente de se maîtriser.

Walter Oberseit, vous êtes un être remarquablement intelligent et sans doute très malheureux. Malheureusement, je ne suis guère expert en prophétie, j'y ai peu de goût... et je crois qu'il vaudrait mieux, pour nous deux, que vous rentriez chez vous.

L'INCONNU. A l'asile ?

FREUD. Nous nous verrons demain, je vous le promets.

L'INCONNU. Livrez-moi donc à votre ami le nazi : il sera ravi de la prise et vous remonterez dans son estime !

FREUD. Non, vous allez rentrer tout seul dans votre chambre…

L'INCONNU *(corrigeant)*. … cellule ! *(Un léger temps.)* Il est vrai que cela devient presque une protection, aujourd'hui, d'être considéré comme fou.

Un temps. Freud, extrêmement nerveux, allume un cigare malgré sa gorge qui le brûle. L'Inconnu le regarde faire avec tendresse et vient se rasseoir en face de lui.

Mais pourquoi ne vous laissez-vous pas aller ?

FREUD *(spontanément)*. Me laisser aller, jamais ! Aller à quoi, d'ailleurs !

L'INCONNU. Laissez-vous donc aller à croire.

FREUD *(presque obsessionnel)*. A quoi serais-je arrivé si je m'étais laissé aller ? Je serais un petit médecin juif à la retraite ; de toute ma vie, je n'aurais soigné que des rhumes et des entorses ! *(Il se lève.)* Je n'ai pas besoin de foi. Il me faut des certitudes. Des résultats positifs. Et il ne suffit pas qu'un fou, aussi brillant soit-il, tienne un discours qui… *(Ayant subitement une idée.)* Vous êtes Walter Oberseit, oui ou non ?

L'INCONNU. A votre avis ?

FREUD. Je vous pose une question. Etes-vous Walter Oberseit ?

L'INCONNU. J'aurais tendance à vous répondre "non". Mais Walter Oberseit vous répondrait "non" aussi.

FREUD *(retrouvant de l'énergie)*. Très bien : vous prétendez que vous êtes Dieu ? Prouvez-le !

L'INCONNU. Pardon ?

FREUD. Si vous êtes Dieu, prouvez-le ! Je ne crois que ce que je vois.

L'INCONNU. Vous me voyez.

FREUD. Je ne vois qu'un homme.

L'INCONNU. Il a bien fallu que je m'incarne. Si je m'étais manifesté en araignée, ou en pot de chambre, nous ne serions pas sortis de l'auberge.

FREUD. Faites un miracle.

L'INCONNU. Vous plaisantez ?

FREUD. Faites un miracle !

L'INCONNU *(éclatant de rire)*. Freud, le docteur Freud, un des plus grands esprits du siècle et de l'humanité, le docteur Freud me demande un miracle… Comment voudriez-vous que je me change, cher ami, en chacal, en soleil, en vache, en Zeus sur son fauteuil de nuages, en Christ sanguinolent au bout d'un pieu ou bien en Vierge Marie au fond de la grotte ? Je croyais devoir réserver mes miracles aux imbéciles…

FREUD *(furieux)*. Les imbéciles voient des miracles partout, tandis que l'on n'abuse pas un savant. Il est vraiment dommage que Dieu n'ait jamais opéré un miracle en Sorbonne ou en laboratoire.

L'INCONNU *(sarcastique)*. Le miracle serait que vous me croyiez.

FREUD. Chiche ! *(Sèchement.)* Un miracle !

L'INCONNU. Ridicule ! *(Cédant brusquement.)* Eh bien soit ! *(Il semble réfléchir.)* Vous êtes prêt ? Voulez-vous bien me tenir ma canne ?

Il tend sa canne à Freud qui, par réflexe, la saisit : à cet instant, la canne se retourne, se transformant en gros bouquet de fleurs. Freud a un moment de surprise, voire d'émerveillement.
L'Inconnu éclate de rire devant la mimique de Freud.
Freud comprend la supercherie, le ridicule de sa demande, et jette le bouquet à terre.

FREUD. Partez immédiatement ! Non seulement vous êtes un mythomane, mais vous êtes sujet à une névrose sadique. Vous n'êtes qu'un sadique !

L'Inconnu continue à rire, ce qui a le don d'irriter Freud plus encore.

Un sadique qui profite d'une nuit de trouble ! Un sadique qui jouit de ma faiblesse !

L'Inconnu cesse brusquement de rire. Il semble presque sévère.

L'INCONNU. S'il n'y avait pas ta faiblesse, par où pourrais-je entrer ?

FREUD. Ça suffit ! Je ne veux plus rien entendre ! Finissons-en une fois pour toutes ! Repassez cette fenêtre et retournez chez vous !

On entend des coups poliment frappés à la porte.

(Avec humeur.) Oui !

─────── scène 9 ───────

Le Nazi, Freud, l'Inconnu.
Le Nazi entre, presque respectueusement.
Dès qu'il le voit, l'Inconnu se cache prestement dans un coin sombre du bureau. Freud a un regard sarcastique pour son comportement.

LE NAZI *(obséquieux).* Professeur, je me suis juste permis de passer pour vous remettre ce document... votre testament... que je n'ai donc jamais eu dans les mains.

Il regarde Freud d'un air interrogatif pour savoir si Freud est prêt à corroborer sa version.

FREUD. Où est ma fille ?

LE NAZI. Ils sont en train de l'interroger, mais cela ne durera pas longtemps, pure routine, je crois bien. En tout cas, je me suis permis d'insister dans ce sens.

En réponse, Freud tend la main pour recevoir son testament.

FREUD. Très bien. Je ne vous retiens pas.

Le Nazi ébauche maladroitement un salut et va pour s'en aller.

LE NAZI. Oh, puis, je voulais aussi vous dire... pour le fou qui s'était échappé... on l'a retrouvé.

FREUD. Pardon ?

LE NAZI. Vous savez, le schnock, de l'asile... il s'était caché derrière les poubelles de votre cour. On l'a rendu aux infirmiers.

FREUD. Pourquoi me dites-vous cela ?

LE NAZI. Excusez-moi, j'ai cru tout à l'heure que ça vous intéressait.

Il va de nouveau pour sortir.

FREUD. Vous êtes bien sûr de ce que vous dites ?

LE NAZI. A quel sujet ?

FREUD. Le fou ? C'était bien lui ?

LE NAZI. Certain.

FREUD. Walter Oberseit ?

LE NAZI. Un nom comme ça... Vous le connaissiez ? En tout cas, le personnel de l'asile était bien content de le récupérer si vite. Il paraît que lorsqu'il est en forme, il ferait croire n'importe quoi à n'importe qui !... Enfin ça y est, il est bouclé : nous connaissons notre travail, tout de même. Bonsoir.

FREUD *(défait).* Bonsoir.

Le Nazi sort.

────────── scène 10 ──────────

Freud, l'Inconnu.
Freud a allumé un énorme cigare pour maîtriser son émotion.
L'Inconnu réapparaît et regarde Freud avec compassion. Il s'approche et lui retire le cigare lentement.

L'INCONNU. La mort te brûle déjà. Pas besoin de rajouter des braises...

Freud le laisse faire, comme apaisé.
Un temps.
Freud le regarde avec une grande intensité.

FREUD. Pourquoi es-tu venu ?

L'INCONNU *(légèrement gêné).* Vous dites cela parce que vous y croyez ou pour vous débarrasser encore de moi ?

FREUD. Pourquoi ?

L'INCONNU *(fuyant)*. Je ne vous sens pas sincère.

FREUD *(plein d'une douce autorité de grand praticien)*. C'est vous qui ne l'êtes pas. Pourquoi êtes-vous venu ? Vous ne devez pas me celer la vérité.

L'INCONNU. Soit. Je vais vous…

L'Inconnu semble brusquement en proie à un malaise foudroyant.

(Inquiet.) Freud ! j'ai le cou qui enfle…

FREUD *(calmement)*. Je vois, et vous êtes très rouge…

L'INCONNU. Mon crâne tape, tape… Que se passe-t-il ?

FREUD. C'est la pudeur.

L'INCONNU. C'est toujours comme cela lorsqu'on va dire la vérité ? Je comprends pourquoi les humains pratiquent tant le mensonge. *(Amusé.)* Ce que c'est que de trop bien s'incarner !

FREUD *(le regardant intensément)*. Assez de détours. Pourquoi êtes-vous venu ?

L'INCONNU *(fermé)*. Pas pour vous convertir.

FREUD. Mais encore ?

L'INCONNU. Par ennui.

FREUD. Vous plaisantez…

L'INCONNU. Méfiez-vous des explications superficielles, elles sont souvent vraies. *(Un temps. Légèrement provocateur.)* Non, ce n'est pas par ennui : c'est par haine. Je vous en veux.

FREUD. De quoi ?

L'INCONNU *(comme un dandy d'Oscar Wilde)*. D'être hommes. D'être bêtes, d'être bornés, imbéciles ! Croyez-vous que ce soit un sort enviable d'être Dieu ?

Il s'assoit, les jambes élégamment croisées.

J'ai tout, je suis tout, je sais tout. Rond, rassasié, plein comme un œuf, gavé, écœuré depuis l'aube du monde ! Que pourrais-je bien vouloir que je n'aurais pas ? Rien, sauf une fin ! Car je n'ai pas de terme… ni mort ni au-delà… rien… je ne peux même pas croire en quelque chose, à part en moi… Sais-tu ce que c'est, l'état de Dieu ? La seule prison dont on ne s'évade pas.

FREUD. Et nous ?

L'INCONNU. Qui, nous ?

FREUD. Les hommes ? *(Hésitant.)* Ne sommes-nous pas… une distraction ?

L'INCONNU. Vous relisez vos livres, vous ? *(Signe négatif de Freud. L'Inconnu résume le monde :)* Rien au-dessus, tout en dessous. J'ai tout fait. Où que j'aille, je ne rencontre que moi-même ou mes créatures. Dans leur présomption, les hommes ne songent guère que Dieu est nécessairement en mauvaise compagnie ! Etre le tout est d'un ennui… Et d'une solitude…

FREUD *(doucement)*. La solitude du prince…

L'INCONNU *(rêveur, en écho)*. La solitude du prince…

Dans la rue, on entend le bruit d'une poursuite. Un couple est poursuivi par les nazis. Cris angoissés des fuyards. Aboiements des nazis. Freud et l'Inconnu ont un frisson d'inquiétude.

(Subitement.) Vous me croyez ?

FREUD. Pas du tout.

L'INCONNU. Vous avez raison.

Dans la rue, la femme et l'homme ont été arrêtés. On les entend crier sous les coups. C'est insoutenable.
Freud se lève précipitamment pour aller à la fenêtre.
L'Inconnu s'interpose et lui en barre l'accès.

Non, s'il vous plaît.

FREUD. Et vous les laissez faire !

L'INCONNU. J'ai fait l'homme libre.

FREUD. Libre pour le mal !

L'INCONNU *(l'empêchant de passer, malgré les cris qui s'amplifient)*. Libre pour le bien comme pour le mal, sinon la liberté n'est rien.

FREUD. Donc vous n'êtes pas responsable ?

Pour toute réponse, l'Inconnu cesse brusquement de retenir Freud. Celui-ci se précipite vers la fenêtre.
Les cris se calment. On entend seulement les bottes s'éloigner.
L'Inconnu s'est laissé tomber sur un siège.

Ils ont arrêté un couple. Ils l'emmènent... *(Se tournant vers l'Inconnu.)* Où ?

L'INCONNU *(sans force).* Dans des camps...

FREUD. Des camps ?

Freud est effaré par cette nouvelle. Il s'approche de l'Inconnu qui est bien plus défait que lui encore...

Empêchez-les ! Empêchez tout ça ! Comment voudriez-vous qu'on croit encore en vous après tout ça ! Arrêtez !

Il le secoue par le col.

L'INCONNU. Je ne peux pas.

FREUD *(véhément).* Allez ! Intervenez ! Arrêtez ce cauchemar, vite !

L'INCONNU. Je ne peux pas. Je ne peux plus !

L'Inconnu se dégage, rassemble ses forces pour aller fermer la fenêtre. Au moins, le bruit des bottes a disparu...
Il s'appuie contre la vitre, épuisé.

FREUD. Tu es tout-puissant !

L'INCONNU. Faux. Le moment où j'ai fait les hommes libres, j'ai perdu la toute-puissance et l'omniscience. J'aurais pu tout contrôler et tout connaître d'avance si j'avais simplement construit des automates.

FREUD. Alors pourquoi l'avoir fait, ce monde ?

L'INCONNU. Pour la raison qui fait faire toutes les bêtises, pour la raison qui fait tout faire, sans quoi rien ne serait... par amour.

Il regarde Freud qui semble mal à l'aise.

Tu baisses les yeux, mon Freud, tu ne veux pas de ça, hein, toi, un Dieu qui aime ? Tu préfères un Dieu qui gronde, les sourcils vengeurs, le front plissé, la foudre entre les mains ? Vous préférez tous ça, les hommes, un Père terrible, au lieu d'un Père qui aime...

Il s'approche de Freud qui est assis, et s'agenouille devant lui.

Et pourquoi vous aurais-je faits si ce n'était par amour ? Mais vous n'en voulez pas, de la tendresse de Dieu, vous ne voulez pas d'un Dieu qui pleure… qui souffre… *(Tendrement.)* Oh, oui, tu voudrais un Dieu devant qui on se prosterne mais pas un Dieu qui s'agenouille…

Il est à genoux devant Freud. Il lui tient la main. Freud, trop pudique, regarde ailleurs.
L'Inconnu se relève et s'approche de la fenêtre d'où afflue une musique. Il l'ouvre. On entend alors les chants nazis.

C'est beau, n'est-ce pas ?

FREUD. Malheureusement. Si la bêtise pouvait être laide…

L'INCONNU. La beauté… vous aimez beaucoup cela, vous autres, les hommes.

FREUD *(surpris)*. Pas vous ?

L'INCONNU. Oh moi !… *(Se souvenant.)* Si, une fois, j'ai été surpris… Une fois il y eut… *(Il lève alors la tête, semblant humer l'air de toutes ses narines, et l'on entend un chant qui se précise. Freud tend l'oreille.)* Je connais le murmure des nuages, je connais le chant des oies sauvages lorsque, en bataillon triangulaire, elles font cap sur l'Afrique, je connais les rêves des taupes, les cris d'amour des vers de terre et les déchirements violents de l'azur par les comètes, mais ça… *(On entend toujours plus précisément la musique.)*… ça, je ne connaissais pas.

La musique monte. Il s'agit de l'air de la Comtesse, "Dove sono i bei momenti", dans les Noces de Figaro.

J'ai cru tout d'abord qu'un des vents de la Terre s'était égaré sur la Voie lactée… j'ai cru… que j'avais une mère qui m'ouvrait ses bras du fond de l'infini… j'ai cru…

FREUD. Qu'était-ce ?

L'INCONNU. Mozart. A vous faire croire en l'homme…

La musique continue. Freud est à son bureau, la tête appuyée sur les mains, écoutant la musique les yeux fermés.
L'Inconnu s'efface derrière le rideau sans qu'il s'en rende compte.

Anna, Freud, l'Inconnu caché.
Anna entre rapidement dans la pièce. Elle s'arrête quand elle voit son père à son bureau. Freud ne l'a encore ni vue, ni entendue. Elle se place devant lui et dit avec émotion :

ANNA. Papa !

La musique s'évanouit.
Freud sort de sa torpeur songeuse et, dans un râle où se mêlent l'extrême douleur et l'extrême joie, murmure :

FREUD. Anna…

Ils se jettent dans les bras l'un de l'autre.
Freud, les larmes aux yeux, la caresse comme une petite fille.

Mon Anna, ma joie, mon souci, mon orgueil…

Anna se laisse aller contre lui.

Ils t'ont fait mal ?

ANNA. Ils ne m'ont pas touchée.

Freud la serre encore plus fort contre lui.

Ils m'ont interrogée sur notre société… ils voulaient savoir si l'Association internationale de psychanalyse était politique… j'ai réussi à les convaincre du contraire… Papa, c'est toi qui me fais mal…

Freud desserre légèrement son étreinte.

… je nous ai décrits comme une bande d'inoffensifs amateurs… j'ai honte… *(Se ressaisissant.)* Nous ne devons pas attendre une minute. J'ai entendu des choses terribles, là-bas : il semblerait qu'on emmène les juifs dans des camps, et qu'une fois dans ces camps, on n'ait plus de nouvelles…

FREUD *(sombre).* Je sais.

Anna a un regard de surprise.

ANNA *(continuant quand même).* Mais il y a plus grave encore : les juifs se taisent, papa. Ils se laissent enfermer là-bas, à la

Gestapo, ils attendent des heures sans protester, on les insulte, on leur crache dessus, on les déporte et ils ne disent rien.

Elle marche rageusement.

Ils se comportent comme des coupables ! Mais qu'ont-ils fait pour mériter cela ? Etre juif ? Mais être juif, cela correspond à quel crime ? Quelle faute ? Et la petite Macha qui vient de naître, ta petite-fille, de quoi est-elle déjà coupable ? D'être née ? D'exister ?

FREUD. Nous allons partir.

ANNA. Nous partirons et nous parlerons. Nous le dirons au monde entier.

FREUD. Nous partirons et nous nous tairons. Parce qu'il restera mes deux sœurs à Vienne... et qu'on leur ferait payer. Parce qu'il restera des juifs derrière nous sur qui on se vengera de nos insolences...

ANNA. Alors toi aussi ! Toi aussi, tu vas te taire ?

FREUD. De toute façon j'ai déjà la mort dans la gorge.

Anna se jette dans ses bras.

Nous allons partir, ma petite fille.

Freud se met alors à tousser violemment.

ANNA. Tu as fumé !

FREUD. Je t'attendais.

ANNA. Peu importe, tu ne dois pas fumer !

Freud saisit sa gorge à laquelle il a maintenant très mal.

FREUD. Le nœud se resserre, Anna. *(Réunissant ses forces.)* Nous allons partir. J'étais irresponsable, je te faisais prendre trop de risques en restant ici, je ne pensais qu'à ma vieille peau viennoise... qui a si peu d'importance...

Soudain, il se rend compte que l'Inconnu n'est plus là.

Mais où est-il ? Il faut que je vous présente. Il était là il y a un instant...

ANNA. De quoi parles-tu ?

FREUD *(allant soulever les rideaux)*. J'ai eu une visite, pendant ton absence, une visite extraordinaire, une visite qui m'a redonné l'espoir...

ANNA. Qui était-ce ?

FREUD (*triomphalement*). Un inconnu ! Un visiteur qui mérite d'être connu, je ne peux pas t'en dire plus. (*Cherchant désespérément partout.*) Mais voyons, il n'est pas sorti... ni par la porte, ni par la fenêtre ! Nous parlions lorsque tu es rentrée.

ANNA. Tu étais seul.

FREUD. C'est qu'il s'est caché dès qu'il t'a vue. Nous étions en train de discuter.

ANNA (*tendrement*). Papa, lorsque je suis entrée, tu étais assis à ton bureau, dans la position que tu as lorsque tu dors.

FREUD (*révolté*). Je ne dormais pas. C'est impossible.

ANNA. Alors où est ton visiteur ?

Freud tape violemment dans les rideaux.

FREUD. Je ne dormais pas, je ne dormais pas ! Tu n'as pas entendu la musique ?

ANNA. Je vais nous faire une tisane et tu me raconteras ton rêve.

Elle sort.

———— scène 12 ————

Freud, l'Inconnu.
L'Inconnu passe la porte, quelques secondes après la sortie d'Anna. Il considère Freud qui le cherche encore, avec une tendresse dont la moquerie n'est pas absente.

L'INCONNU. Je m'en serais voulu de gâcher ces retrouvailles.

FREUD (*se retournant*). Où étiez-vous ?

L'INCONNU (*elliptique*). Les nécessités de l'incarnation physique.

Freud ne comprend pas. L'Inconnu lui fait signe qu'il est allé uriner...

Un phénomène fascinant : j'avais l'impression d'être devenu une fontaine.

FREUD. Restez. Il faut qu'Anna vous voie.

L'INCONNU. Non.

FREUD. Si…

L'INCONNU. Vous lui raconterez…

FREUD. Elle a besoin de vous, elle aussi, surtout ce soir.

L'INCONNU. Si elle est aussi têtue que vous, la nuit risque d'être longue.

FREUD. Je vous en prie.

L'INCONNU (cédant). A vos risques et périls…

──────── scène 13 ────────

Anna, Freud, l'Inconnu.
Anna entre, portant un plateau comprenant un riche nécessaire à tisane.
Elle ne voit pas d'emblée l'Inconnu.
Se déroule alors tout un jeu silencieux où Freud essaie de placer l'Inconnu dans son champ de vision dont elle se détourne toujours ultimement.
Enfin, en désespoir de cause, Freud prend la parole.

FREUD. Tu ne vois pas mon visiteur ?

Anna se retourne, le voit, et dit tranquillement, sur un ton presque morne :

ANNA. Ah, c'est vous ?

Et elle prend la tisanière vide à la main. Anna, avec une politesse de commande.

Asseyez-vous donc. Vous prendrez de la tisane, sans doute ? J'ajoute une tasse.

Et elle ressort, les laissant ahuris de surprise.

scène 14

Freud, l'Inconnu.
Freud, abasourdi par la tranquillité quotidienne d'Anna, se tourne vers l'Inconnu et demande :

FREUD. "Ah, c'est vous" ! Comment ça : "Ah, c'est vous" ? Vous vous connaissez ?

L'INCONNU. Mais je vous assure que non. Je n'en savais rien.

Anna est déjà revenue.

scène 15

Anna, Freud, l'Inconnu.
Elle apporte l'eau chaude et la tasse manquante.

FREUD. Tu connais… monsieur…

ANNA. Oui. Naturellement. De vue…

FREUD. Mais pour qui le prends-tu ?

ANNA. Pardon ?

FREUD. Pour qui prends-tu monsieur ?

ANNA. Je le prends pour ce qu'il est.

FREUD *(agacé)*. Mais encore ?

ANNA. Père, je ne voudrais pas être incorrecte avec ton invité.

FREUD. Anna ! Pour qui prends-tu monsieur ?

ANNA. Je le prends pour un homme qui me suit chaque après-midi depuis quinze jours toutes les fois où je me rends au jardin d'enfants. Il ne manque jamais de m'adresser des sourires auxquels je ne réponds pas et de me faire des clins d'œil que je fais semblant de ne jamais voir. En peu de mots, monsieur est un homme mal élevé.

L'INCONNU. Ah, mais je vous assure que jamais …

ANNA. N'insistez pas, monsieur. Je vous apprécie assez peu mais j'apprécie encore moins que vous fassiez le siège de mon père pour arriver à moi : vous le fatiguez et vous ne changez pas ma position, loin de là.

L'INCONNU. Je vous assure que ce n'est pas moi.

ANNA. Alors vous avez un sosie ! Un sosie parfait, monsieur. C'est un miracle d'avoir un sosie pareil. Je vous laisse, père, je reviendrai lorsque ton invité sera parti.

Elle sort.

──────── scène 16 ────────

Freud, l'Inconnu.
Freud demeure rigide.
L'Inconnu, peu affecté, se sert une tasse de tisane.

FREUD. Vous auriez pu le prévoir. Vous auriez dû le prévoir puisque vous savez tout.

L'INCONNU *(légèrement).* Presque tout.

FREUD. J'exige des explications.

L'INCONNU. Ça y est, Freud : l'épine ! Tu doutes de nouveau. *(Plaintif.)* Tu ne vas pas continuer, j'espère ? *(Lui tendant très mondainement une tasse et imitant une maîtresse de maison.)* Vous prendrez bien un peu de recul ? *(Il rit. Un temps.)* Personne ne me voit, chacun projette sur moi l'image qui lui convient, ou qui l'obsède : j'ai déjà été blanc, noir, jaune, barbu, glabre, avec dix bras… et même femme ! Je pense qu'au fond ta petite Anna ne trouve pas si déplaisant l'inconnu du jardin d'enfants…

FREUD *(prenant machinalement la tasse).* Soit.

Ils boivent.
L'Inconnu ne peut retenir un petit rire.

FREUD. Pourquoi riez-vous ?

L'INCONNU. Je me demande si, avec ce que je bois là, je vais pouvoir recommencer à faire la fontaine ?

Il rit encore et regarde Freud.

Le docteur Freud me trouve puéril. On est toujours puéril lorsqu'on s'émerveille de la vie.

Il cesse brusquement d'être badin et pose la main sur l'épaule de Freud.

Je pars, Freud. Je n'ai ni père, ni mère, ni sexe, ni inconscient. Vous ne pouviez rien pour moi mais vous avez été une oreille. Merci.

FREUD. Vous me quittez ?

L'INCONNU. Je ne t'ai jamais quitté.

FREUD. Je ne vous reverrai plus ?

L'INCONNU. Autant que vous le voudrez. Mais pas avec les yeux.

FREUD. Comment ?

L'INCONNU *(lui pose le doigt sur le cœur)*. J'étais là, Freud, j'ai toujours été là, caché. Et tu ne m'as jamais trouvé ; et tu ne m'as jamais perdu. Et lorsque je t'entendais dire que tu ne croyais pas en Dieu, j'avais l'impression d'entendre un rossignol qui se plaignait de ne pas savoir la musique. *(Il ouvre la fenêtre et se penche au-dehors.)* Docteur Freud, vous allez partir. Emmenez le plus de gens possible avec vous. Sauvez-les.

Il se retourne et reprend son élégant manteau de soirée.

Bonsoir.

FREUD *(subitement agressif)*. Vous restez.

L'INCONNU *(paisible)*. J'ai dit : Bonsoir, Freud.

Freud va se mettre en travers de la fenêtre pour l'empêcher de passer.

FREUD. Pas question !

L'INCONNU. Quelle faiblesse, Freud !

FREUD. Vous ne sortirez pas par la fenêtre, comme un être humain, comme un escroc. Vous disparaîtrez, là, sous mes yeux !

L'INCONNU *(souriant)*. L'épine. Toujours l'épine.

Il s'approche de la fenêtre et, en regardant Freud fixement, obtient que celui-ci s'efface, comme mû par un pouvoir invisible.

Bonsoir.

Freud récupère ses esprits et prend subitement le revolver qu'il avait laissé sur la table et, le tenant à bout de bras, met l'Inconnu en joue.

FREUD. Je vais tirer.

L'INCONNU *(avec un sourire)*. Ah oui ?

FREUD. Je vais tirer.

L'INCONNU. Bien sûr. *(Un temps.)* Mais si j'étais ce fou qui s'échappa ce soir, ce Walter Oberseit, ou bien cet homme qui poursuit chaque après-midi Anna de ses assiduités, vous feriez un cadavre. Une balle : un mort. Pensez, docteur Freud, perdre la foi et la liberté au même instant, et puis finir dans une prison pour meurtre, le pari en vaut-il la peine ?

FREUD *(tremblant)*. J'ai confiance. Vous ne tomberez pas.

L'INCONNU. Eh bien, restez-en là. La foi doit se nourrir de foi, non de preuves.

FREUD *(les mains vacillantes)*. Pourquoi vous moquer ? Tu serais le diable, tu ne ferais pas autrement.

L'INCONNU. Un Dieu qui se manifesterait clairement comme Dieu ne serait pas Dieu mais seulement le roi du monde. Je m'enveloppe d'obscur, j'ai besoin du secret ; sinon, que vous resterait-il à décider ? *(Mettant le canon de l'arme sur son cœur.)* Je suis un mystère, Freud, pas une énigme.

FREUD. Je ne suis pas converti.

L'INCONNU. Mais toi seul peux te convertir : tu es libre ! C'est toujours l'homme qui fait parler les voix...

FREUD. Je n'ai rien gagné.

L'INCONNU. Jusqu'à ce soir, tu pensais que la vie était absurde. Désormais tu sauras qu'elle est mystérieuse.

FREUD. Aide-moi.

L'INCONNU *(il enjambe la fenêtre)*. Au revoir, Freud.

Il disparaît.

———— scène 17 ————

Freud seul.
Freud a un geste pour rattraper l'Inconnu, mais celui-ci s'échappe.

FREUD. Il a disparu ?

Il se penche par la fenêtre.

Ah, tu me nargues ! ... tu ne veux pas disparaître... tu descends le long de la gouttière, comme un voleur ! *(Pris de rage.)* Ça ne se passera pas comme ça !

Il court au bureau où il reprend son arme et s'approche près de la fenêtre. Il ferme les yeux et tire un coup en direction de l'Inconnu. Puis, toussant à travers la fumée, il se penche pour voir.

Raté !

Fin.

DU MÊME AUTEUR

THÉÂTRE

La Nuit de Valognes, Actes Sud - Papiers, 1991.
Le Visiteur, Actes Sud - Papiers, 1993.
Golden Joe, Albin Michel, 1995.
Variations énigmatiques, Albin Michel, 1996.
Le Libertin, Albin Michel, 1997.
Milarepa, Albin Michel, 1997.
Frédérick ou Le Boulevard du Crime, Albin Michel, 1998.

ROMAN

La Secte des Egoïstes, Albin Michel, 1994.

ESSAI

Diderot ou La Philosophie de la séduction, Albin Michel, 1997.

Ouvrage réalisé par l'Atelier graphique Actes Sud. - Achevé d'imprimer en mars 2007
par l'Imprimerie Dumas-Titoulet à Saint-Etienne pour le compte des éditions ACTES SUD
Le Méjan Place Nina-Berberova 13200 Arles. Dépôt légal 1re édition : janvier 1994
N° d'éditeur : 1467 - N° d'imprimeur : 45379
(Imprimé en France)